D1234874

L'affaire Dreyfus

Vérités et légendes

DU MÊME AUTEUR

Le Paris d'Émile Zola, Paris, Éditions Alexandrines, « Le Paris des écrivains », 2016, 128 p.

Zola et le groupe de Médan. Histoire d'un cercle littéraire, Paris, Perrin, 2014, 480 p.

Une journée dans l'affaire Dreyfus. « J'accuse… ». 13 janvier 1898, Paris, Perrin, « Tempus », 2011, 336 p. [1re éd., 1998].

Émile Zola. De « J'accuse » au Panthéon, Saint-Paul, Éditions Lucien Souny, 2008, 415 p.

Guide Émile Zola, Paris, Ellipses, 2002, 550 p. ; édition de poche, Ellipses, 2016 [en collaboration avec Owen Morgan].

Le Naturalisme, Paris, PUF, « Que sais-je ? », 2001, 128 p. [1re éd., 1989].

Émile Zola. Bilan critique, Paris, Nathan Université, « 128 », 1993, 128 p.

Émile Zola, un intellectuel dans l'affaire Dreyfus, Paris, Librairie Séguier, 1991, 398 p.

La Bataille littéraire. Essai sur la réception du naturalisme à l'époque de « Germinal », Paris, Librairie Séguier, 1989, 276 p.

DIRECTIONS D'OUVRAGES COLLECTIFS

Relire « La Fortune des Rougon », Paris, Classiques Garnier, 2015, 338 p. [en collaboration avec Pierre Glaudes].

Genèse & Correspondances, Paris, Éditions des Archives contemporaines/ITEM, 2012, 233 p. [en collaboration avec Françoise Leriche].

Relire Maupassant. La Maison Tellier, Contes du jour et de la nuit, Paris, Classiques Garnier, 2011, 348 p. [en collaboration avec Antonia Fonyi et Pierre Glaudes].

Zola au Panthéon. L'épilogue de l'affaire Dreyfus, Paris, Presses Sorbonne nouvelle, 2010, 268 p.

(suite en fin d'ouvrage)

Alain Pagès

L'affaire Dreyfus

Vérités et légendes

*Collection dirigée
par Emmanuel Hecht*

PERRIN

Déjà parus

Ayache Georges, *Kennedy. Vérités et légendes.*
Brigouleix Bernard et Gayral Michèle, *L'Élysée. Vérités et légendes.*
Brunaux Jean-Louis, *Les Gaulois. Vérités et légendes.*
Dickès Christophe, *Le Vatican. Vérités et légendes.*
Martin Jean-Clément, *La Terreur. Vérités et légendes.*
Piouffre Gérard, *Le Titanic. Vérités et légendes.*
Solnon Jean-François, *Versailles. Vérités et légendes.*
Vey François, *La Tour Eiffel. Vérités et légendes.*

© Perrin, un département de Place des Éditeurs, 2019

12, avenue d'Italie
75013 Paris
Tél. : 01 44 16 09 00
Fax : 01 44 16 09 01

ISBN : 978-2-262-07494-4
Dépôt légal : septembre 2019

Mise en pages : Facompo, Rouen

Avant-propos

L'affaire Dreyfus ne cesse d'occuper nos mémoires. On parle de l'« Affaire », avec un A majuscule, tellement son contenu semble posséder une valeur généralisable. Bien qu'elle appartienne à l'histoire de la fin du XIXᵉ siècle, constamment elle resurgit, au gré de l'actualité, comme un exemple auquel il faut se référer pour comprendre la diversité des événements contemporains. Évoque-t-on une polémique qui divise profondément l'opinion ? On pense à l'affaire Dreyfus, à cette gigantesque querelle qui a divisé la France en deux camps opposés. Et devant nos yeux surgit l'image du fameux dessin de Caran d'Ache, un « dîner en famille », publié dans *Le Figaro* le 14 février 1898, dont les personnages ont traversé les époques pour parvenir jusqu'à nous. Ce dessin représente les membres d'une famille assis autour d'une table. Chacun vient de prendre sa place. Tous affichent le plus grand calme. Ils paraissent heureux de se retrouver. Avec gravité le maître de maison avertit les convives : « Surtout ! ne parlons pas de l'affaire Dreyfus ! » Hélas, ses paroles d'apaisement ne sont pas entendues ! La planche suivante montre la table bouleversée, les assiettes jetées par terre, la nappe arrachée, les personnages en lutte les uns avec les autres, emportés dans une empoignade furieuse que rien ne saurait arrêter. Et la légende ajoute : « Ils en ont parlé ! »

Plusieurs raisons expliquent cette présence continue de l'affaire Dreyfus.

La première réside évidemment dans le fait qu'elle nous offre un modèle – à certains égards, indépassable – de l'engagement d'ordre intellectuel. Elle nous invite à nous souvenir de quelle façon des citoyens en nombre important, des « intellectuels » se sont groupés autour d'un écrivain, Émile Zola, pour défendre la publication de son « J'accuse », en janvier 1898. Elle nous rappelle cette exigence fondamentale, contenue dans ce que l'on appelle l'engagement : l'indignation d'une conscience individuelle n'a de sens que si elle trouve une forme d'expression sur la place publique ; et celui qui fait ce choix doit accepter de s'exposer personnellement, en remettant en cause le confort dont s'entoure habituellement une vie consacrée à l'étude et à la réflexion.

Un deuxième élément de résonance se trouve dans le fléau de l'antisémitisme. Une doctrine que l'on croyait oubliée revient en force, aujourd'hui.

Elle s'appuie sur des manifestations d'intolérance religieuse qui s'expriment sous différentes formes. Un vocabulaire ancien, des thèmes, des insultes refont surface. Le parallèle peut être établi entre l'antisémitisme des années 1890 et le « nouvel antisémitisme » de l'époque présente. C'est pourquoi il est important de comprendre ce qui s'est passé au moment de l'affaire Dreyfus, lorsque le vieil antijudaïsme chrétien s'est transformé en une idéologie de l'exclusion et du racisme qui s'est ensuite répandue en Europe au cours de la première moitié du XXe siècle.

En réponse à la haine de l'autre, l'idéal de la laïcité prône l'esprit de tolérance, en s'efforçant de définir les conditions d'expression de la liberté religieuse dans l'espace public. Ses principes se sont forgés, là encore, à travers la crise de l'affaire Dreyfus. Ils ont trouvé un fondement dans les objectifs défendus par la Ligue « pour la Défense des droits de l'homme et du citoyen », dont le projet a surgi en février 1898, au lendemain de la condamnation de Zola par la cour d'assises de la Seine. Puis avec le dénouement politique de l'Affaire, au moment de la victoire du Bloc des gauches, deux lois les ont inscrits dans la conscience républicaine : la loi sur les associations, votée en juillet 1901, qui visait à limiter le pouvoir des congrégations religieuses, et la loi de décembre 1905, qui a imposé la séparation entre l'Église et l'État.

Si l'on poursuit l'énumération de ces éléments qui relèveraient d'une actualité dreyfusienne, on ne peut manquer de tomber sur la notion d'erreur judiciaire, et notamment sur ce qui, dans la production des erreurs, est lié aux expertises d'écriture. L'affaire Dreyfus, comme on le sait, c'est, au départ, une affaire judiciaire qui commence par l'analyse d'un document, une lettre, que l'on a appelée le « bordereau » : attribuée par erreur à Alfred Dreyfus, cette lettre a entraîné sa condamnation, en décembre 1894. Or, dans la justice d'aujourd'hui, à côté des moyens techniques les plus sophistiqués qui permettent de découvrir l'identité d'un coupable, il est surprenant de constater que l'expertise d'écriture continue à occuper une place importante. Elle se maintient, avec peu de changements, telle qu'on la pratiquait au moment de l'affaire Dreyfus, avec une confiance naïve dans ses pouvoirs heuristiques. Et elle revient dans de nombreuses énigmes judiciaires, accompagnée des mêmes incertitudes, des mêmes tâtonnements, et parfois des mêmes conclusions absurdes que celles qui ont fait florès à la fin du XIXᵉ siècle.

Il faut enfin évoquer le rôle de la presse. Celle-ci nourrit le développement des affaires judiciaires par ses analyses, par les enquêtes qu'elle a la capacité de conduire, ou, inversement, par des campagnes d'opinion jouant sur les peurs, transformant en coupable celui qui se trouve jeté sans défense sur la place publique. De la presse et de son action dans la mise en scène d'un événement l'affaire Dreyfus offre des visions contrastées. Elle a permis que se déploient tous les registres de l'écriture journalistique : des cris proférés par ceux dont la seule volonté était d'exciter les passions, aux voix, multiples, qui se sont exprimées au nom de la recherche de la vérité.

Voilà bien des raisons qui justifient amplement que l'on fasse le point sur cet événement historique complexe que fut l'affaire Dreyfus. Comme le titre de cette collection nous invite à le faire, il conviendra de démêler la part de « vérités » et la part de « légendes » qu'une telle histoire comporte.

À première vue, la tâche est simple. Une erreur a été commise : on a condamné un innocent, le capitaine Alfred Dreyfus, alors que le véritable coupable était un autre officier, du nom d'Esterhazy. Il suffit donc d'analyser le mécanisme de cette méprise, de remonter à sa source, pour montrer de quelle façon la vérité a fini par s'imposer, telle une lumière éclatante effaçant les ténèbres de l'ignorance. Il s'agit de s'inspirer de cette formule que propose Zola à la fin de son premier article écrit en faveur d'Alfred Dreyfus, dans *Le Figaro* du 25 novembre 1897 – une formule qu'il reprendra dans son « J'accuse », quelques semaines plus tard, et qui deviendra l'étendard du combat dreyfusard : « La vérité est en marche, et rien ne l'arrêtera. »

Effectivement, cette marche vers la vérité s'est accomplie, et elle a atteint son but. Mais avec une grande lenteur. Après avoir été condamné, en 1894, le capitaine Dreyfus a obtenu, en 1899, la révision de son procès. Une nouvelle fois condamné (mais avec les « circonstances atténuantes » !), il a été aussitôt gracié par le président de la République, et il a fallu plusieurs années encore avant qu'il ne soit reconnu innocent par un arrêt de la Cour de cassation, en 1906.

La progression vers la justice s'est constamment heurtée à des obstacles qui l'ont entravée. À une vérité avancée par le camp de ceux qui soutenaient Alfred Dreyfus répondait aussitôt une légende élaborée par le parti adverse. L'invention du faux est inscrite au cœur du processus historique de l'affaire Dreyfus.

C'est ce que nous nous proposons d'examiner. Il faudra tenter de comprendre pour quelle raison l'opinion publique a pu être abusée pendant si longtemps. Mais il faudra montrer également de quelle façon le combat dreyfusard s'est lui-même nourri de mythes ou de constructions héroïques qui lui ont permis de trouver son unité.

Qu'est-ce qu'une légende ? C'est une fable qui joue avec la possibilité de la vérité. Tantôt elle s'en écarte, en la trahissant volontairement ; tantôt elle la rejoint, en proposant, pour l'atteindre, un chemin détourné.

La multiplicité de ses épisodes et les extraordinaires retournements de situation qui l'ont accompagnée ont donné à l'affaire Dreyfus l'allure d'un
immense roman-feuilleton. Les contemporains en
étaient conscients. En novembre 1897, lorsqu'il
se lance dans la bataille, Zola s'exclame : « Quel
drame poignant, et quels personnages superbes !
Devant ces documents, d'une beauté si tragique,
que la vie nous apporte, mon cœur de romancier
bondit d'une admiration passionnée. Je ne connais
rien d'une psychologie plus haute. » La presse de
la fin du XIXᵉ siècle a abondamment exploité ce
filon romanesque, en comprenant qu'elle pouvait
ainsi attirer à elle une masse de lecteurs sans cesse
grandissante.

Plus d'un siècle s'est écoulé… Ouvrons, à notre
tour, le grand livre de l'affaire Dreyfus pour
feuilleter certaines de ses pages, parmi les plus
mémorables.

1

Faut-il distinguer plusieurs affaires Dreyfus ?

Le 1er novembre 1894, *La Libre Parole* d'Édouard Drumont annonçait, à l'aide d'un titre en lettres capitales qui traversait sa première page : « HAUTE TRAHISON ». Et sur la ligne suivante, on pouvait lire : « Arrestation de l'Officier juif A. Dreyfus. » Le capitaine Dreyfus avait été arrêté deux semaines plus tôt, le 15 octobre. Quelques échos de son arrestation avaient déjà filtré dans la presse, mais il ne s'agissait que de simples entrefilets. Pour la première fois, le nom du prétendu coupable était dévoilé. La nouvelle était lancée avec la plus grande violence par le journal de l'antisémite Drumont qui, depuis sa fondation, en 1892, avait fait de la dénonciation de la « puissance juive » l'un de ses thèmes favoris. En quelques mots, qui en appelaient à la vindicte populaire, le titre de *La Libre Parole* délivrait ce message qui allait se répandre, en prenant de l'ampleur : un traître avait été découvert au sein de l'armée, et ce traître, c'était un juif...

Ce jour-là, le 1er novembre 1894, « l'affaire Dreyfus » commence véritablement. Elle vient de s'inscrire dans le discours médiatique. Son récit s'amorce. Il va se poursuivre pendant plus de quinze ans en enflammant l'opinion publique.

Au départ, pourtant, il s'agissait d'une simple affaire d'espionnage qui pouvait être comparée à plusieurs affaires du même type dont la presse avait parlé, au cours des années précédentes, mais sans leur accorder une attention particulière. Des officiers ou des fonctionnaires s'étaient rendus coupables de faits de trahison en livrant à l'Allemagne des renseignements sur la défense nationale. Les coupables avaient été condamnés à des peines variables. Mais ces événements n'avaient pas fait les gros titres des journaux.

Pourquoi les choses se passèrent-elles différemment avec Alfred Dreyfus ? Plusieurs raisons expliquent l'emballement de la presse. Au premier rang d'entre elles, l'antisémitisme, qui joua un rôle considérable. Le titre de *La Libre Parole* l'indique d'emblée, en rapprochant ces mots : « haute trahison » et « officier juif ». La rédaction de *La Libre Parole* s'empare avec délectation de ces circonstances inattendues que l'actualité lui apporte, car elle trouve en elles la confirmation de ce que Drumont proclamait, en 1886, dans

La France juive (l'ouvrage qui avait consacré sa triste renommée) : le juif corrompt la société dans laquelle il pénètre ; étranger par essence au monde qui l'entoure, il ne peut que le trahir.

Le mythe de l'espion juif fournit l'aiguillon narratif qui nourrit la chronique de l'affaire Dreyfus. Mais ce récit a d'abord été alimenté par l'énorme masse de faits que lui ont apportée les procédures judiciaires successives. Condamné en 1894, Alfred Dreyfus voit son procès révisé par un conseil de guerre qui siège à Rennes, en 1899 ; il est à nouveau condamné ; et il faut une seconde révision, obtenue en 1906, pour que son innocence soit enfin reconnue. Trois procédures judiciaires, donc. Mais ce serait mal compter, si l'on se limitait uniquement à celles-ci. Dans ce calcul, il faut inclure aussi le procès qui est dirigé contre Esterhazy, au début de l'année 1898 (après qu'il a été dénoncé comme le véritable coupable du crime reproché à Dreyfus), puis, quelques semaines plus tard, le procès en cour d'assises intenté à Zola, à la suite de la publication de son « J'accuse » dans *L'Aurore*. Si l'on souhaite être exhaustif, il convient également de prendre en compte les procès connexes qui ont opposé entre eux certains des acteurs principaux.

Cette source judiciaire donne à l'affaire Dreyfus une double dimension narrative. Au compte rendu des événements s'ajoutent les dialogues issus des scènes de tribunaux, que la presse reprend et qui se trouvent bientôt rassemblés en volumes, sous la forme d'actes. Ces volumes sont disponibles en librairie. Chacun peut s'y référer. Le récit de l'Affaire se compose d'un feuilleton drama-tique et d'un théâtre de paroles. Il fait surgir des personnages hors du commun. Et il produit des lecteurs passionnés, avides de percer les énigmes qu'on leur présente.

La complexité de ces procédures judiciaires et leur étalement dans le temps conduisent aujourd'hui la plupart des historiens à considérer qu'il faut distinguer *trois* affaires Dreyfus. Comme les trois actes d'une immense pièce dramatique.

La première affaire Dreyfus concerne les années 1894-1896. Elle correspond à la condamnation d'Alfred Dreyfus, suivie de sa déportation en Guyane, au bagne de l'île du Diable, pendant que la vérité commence à surgir, à Paris, avec la décou-verte du nom du véritable coupable, Esterhazy. À la fin du mois de septembre 1894, la Section de statistique – le bureau du contre-espionnage de l'armée, dirigé par le colonel Sandherr – intercepte une lettre, le « bordereau », adressée à l'attaché militaire allemand en poste à Paris et évoquant l'envoi de documents confidentiels. Une enquête est aussitôt menée. Les soupçons se portent sur le capitaine Alfred Dreyfus, officier stagiaire à l'État-major, qui est arrêté le 15 octobre. Bien que l'instruction judiciaire, conduite par le commandant Du Paty de Clam, n'ait pas réussi à rassembler des preuves déterminantes, le ministre de la Guerre, le général Mercier, convaincu de la culpabilité de l'accusé, décide de le déférer devant un tribunal militaire. Reconnu coupable à l'issue d'un procès qui s'est tenu à huis clos, Alfred Dreyfus est condamné à la déportation dans une enceinte fortifiée. Le 5 janvier 1895, il est dégradé publiquement dans la grande cour de l'École militaire, avant d'être envoyé en Guyane, à l'île du Diable. En mars 1896, le commandant Georges Picquart, nouveau responsable du service du contre-espionnage (et bientôt promu lieutenant-colonel), découvre l'identité du véritable coupable, Esterhazy. Il essaie de convaincre ses supérieurs hiérarchiques, le général de Boisdeffre et le général Gonse, de la nécessité de revenir sur l'erreur commise ; mais, après s'être heurté à un refus de leur part, il est écarté de son poste ; il est expédié loin de Paris, dans un régiment basé en Tunisie, et il est remplacé par son adjoint, le commandant Henry, avec qui il était entré en conflit.

La deuxième affaire Dreyfus correspond aux années 1897-1900. Elle regroupe les événements qui se sont déroulés entre le moment où la question de l'innocence de Dreyfus est posée sur la place publique (novembre 1897) et la conclusion politique apportée à la crise qui a suivi, avec le vote d'une loi d'amnistie couvrant l'ensemble des faits (décembre 1900). En juin 1897, alors qu'il se trouve en permission à Paris, Picquart confie à un ami d'enfance, l'avocat Leblois, tout ce qu'il sait. Ce dernier transmet ces informations à Scheurer-Kestner, le vice-président du Sénat, qui décide aussitôt de mener une campagne en faveur de la révision du procès de Dreyfus. Mais il échoue dans ses démarches entreprises auprès du président de la République, Félix Faure, comme auprès du général Billot, le ministre de la Guerre. Les autorités militaires sont cependant contraintes d'ouvrir une enquête au sujet d'Esterhazy, dont le nom a été rendu public. Celle-ci aboutit à la réunion d'un conseil de guerre, le 10 et le 11 janvier 1898, qui innocente l'officier coupable. Émile Zola réagit en publiant son « J'accuse » dans *L'Aurore*, le 13 janvier. Jugé par la cour d'assises de la Seine, entre le 7 et le 23 février, l'écrivain est condamné, pour diffamation, à un an de prison. Après avoir épuisé les différents recours se trouvant à sa disposition, il doit s'exiler en Angleterre, le 18 juillet. Mais les événements commencent à tourner en faveur des dreyfusards. Le 30 août, le lieutenant-colonel Henry est contraint d'avouer au ministre de la Guerre qu'il a réalisé un faux afin d'accabler Dreyfus ; arrêté, il se suicide, le lendemain, dans sa cellule du Mont-Valérien. Le 27 octobre, la chambre criminelle de la Cour de cassation entreprend l'examen de la demande en révision dont elle a été saisie. En février 1899, la mort de Félix

Faure et l'élection d'Émile Loubet à la présidence de la République lui permettent de relancer son action, en la libérant des entraves qui pesaient sur elle. Et, le 3 juin 1899, elle annule enfin le jugement porté contre Alfred Dreyfus, lequel est renvoyé devant un nouveau conseil de guerre. Son procès s'ouvre à Rennes, en Bretagne, le 7 août. À nouveau condamné, le 9 septembre, d'une manière qui apparaît scandaleuse, Dreyfus est gracié, quelques jours plus tard, par le président de la République, Émile Loubet. À la fin de l'année qui suit, une loi d'amnistie, votée par la Chambre des députés et par le Sénat, met un terme, au moins provisoirement, à la profonde crise qui vient de secouer tout le pays.

La troisième affaire Dreyfus se déroule entre 1903 et 1906. Elle se compose, pour l'essentiel, des démarches juridiques qui vont permettre à l'accusé, après la grâce présidentielle, de voir son innocence définitivement reconnue. Un discours que prononce Jaurès à la Chambre des députés, en avril 1903, relance le débat. Une enquête est conduite sous l'autorité du ministre de la Guerre, le général André. Quelques mois plus tard, le gouvernement saisit la Cour de cassation. En mars 1904, celle-ci commence un long travail de révision en reprenant le contenu du procès de l'été 1899. Et le 12 juillet 1906, elle annule le jugement du tribunal de Rennes, en affirmant que la condamnation portée contre Alfred Dreyfus a été prononcée « par erreur et à tort ».

Le 12 septembre 1899, quelques jours après la conclusion du procès de Rennes, Zola publie dans *L'Aurore* un article qui dresse le bilan des cinq années qui viennent de s'écouler. Son article s'intitule « Le cinquième acte », car, comme il l'explique, l'acte final, celui qui livre le dénouement d'une tragédie, n'a toujours pas été écrit, puisqu'il est encore repoussé jusqu'à une date incertaine. L'affaire Dreyfus, remarque-t-il, est un « drame géant » qui « remue l'univers » et qui « semble mis en scène par quelque dramaturge sublime, désireux d'en faire un chef-d'œuvre incomparable »... « Dans cette œuvre vivante, c'est le destin qui a du génie, il est quelque part, poussant les personnages, déterminant les faits, sous la tempête qu'il déchaîne. » Et il observe qu'une situation « atroce » a été infligée à Dreyfus : avoir été condamné trois fois ! Par trois conseils de guerre successifs : celui de 1894, qui l'a déclaré coupable ; celui de 1898, qui n'a pas voulu reconnaître la culpabilité d'Esterhazy ; et celui de Rennes, enfin, qui prolonge encore l'acharnement de la justice militaire. « Un premier conseil de guerre, trompé dans son ignorance des lois, dans sa maladresse à juger, condamne un innocent. Un second conseil de guerre, qui a pu être trompé encore par le plus impudent complot de mensonges et de fraudes, acquitte un coupable. Un troisième conseil de guerre, quand la lumière est faite, quand la plus haute magistrature du pays veut lui laisser la gloire de réparer l'erreur, ose nier le plein jour et de nouveau condamne l'innocent. » Dreyfus a subi trois condamnations : le Christ, ajoute Zola, n'a été condamné qu'une seule fois !

Au lyrisme de Zola, qui perçoit en Dreyfus une figure christique, s'oppose la vision de Maurice Barrès et de Léon Daudet, qui ont fait le choix de l'antidreyfusisme et défendent le point de vue d'un nationalisme intransigeant auquel l'antisémitisme fournit ses arguments décisifs.

Pour Maurice Barrès, peu importe la réalité des faits : la culpabilité de l'accusé préexiste, car elle se déduit du milieu auquel il appartient. Au problème qui est posé, il répond par cette formule définitive, où se résume toute la logique de la pensée antisémite : « Que Dreyfus est capable de trahir, je le conclus de sa race. » Léon Daudet, pour sa part, s'appuie sur un spectacle dont il a été le témoin. La cérémonie de la dégradation du capitaine dans la cour de l'École militaire, le 5 janvier 1895, a forgé sa conviction. Ce jour-là, au milieu de la foule, il voit s'avancer, marchant entre ses gardiens, un « automate » privé d'humanité, dont la culpabilité ne fait, à ses yeux, aucun doute. Dans un article publié dès le lendemain par *Le Figaro*, il écrit, en évoquant le condamné :

« Il n'a plus d'âge. Il n'a plus de nom. Il n'a plus
de teint. Il est couleur *traître*. Sa face est terreuse,
aplatie et basse, sans apparence de remords, étrangère à coup sûr, épave de ghetto. » Et il ajoute ces
mots : « Le misérable n'était pas Français. Nous
l'avons tous compris par son acte, par son allure,
par son visage. » C'est ce que déclarait aussi,
le 1er novembre 1894, le rédacteur de *La Libre
Parole* qui s'interrogeait sur l'identité de ce coupable dont son journal venait de révéler le nom :
« Nous avons une consolation, c'est que ce n'est
pas un vrai Français qui a commis un tel crime ! »

2

L'accusation
possédait-elle des preuves ?

Le conseil de guerre qui a condamné Alfred Dreyfus, en décembre 1894, s'est appuyé sur deux éléments : le bordereau, principale pièce à charge ; et un dossier secret, qui a déterminé la conviction des juges. Toutes ces preuves se caractérisaient par leur extrême fragilité.

Dans son roman *L'Île des pingouins*, publié en 1908, Anatole France propose une étonnante transposition parodique de l'incapacité devant laquelle les autorités militaires se sont trouvées pour démontrer la culpabilité d'Alfred Dreyfus. Greatauk, le ministre de la Guerre de la nation pingouine, est préoccupé par la situation qui est la sienne, après l'arrestation et la condamnation de Pyrot – c'est-à-dire de Dreyfus. Il va trouver le général Panther, que l'on a chargé de s'occuper du dossier d'accusation. « La vaste pièce où travaillait le général Panther, naguère encore toute nue, portait maintenant sur chaque face, depuis le plancher jusqu'au plafond, en de profonds casiers, un triple et quadruple rang de dossiers de tout format et de toutes couleurs, archives soudaines et monstrueuses, ayant atteint en quelques jours la croissance des chartriers séculaires. » Le ministre de la Guerre s'étonne d'un tel bouleversement. Quelle en est la raison ? Panther lui répond, « avec une patriotique satisfaction », qu'il s'agit des preuves accumulées contre Pyrot : « Nous n'en possédions pas quand nous l'avons condamné », précise-t-il, en ajoutant : « Nous nous sommes bien rattrapés depuis. » Pendant que les deux hommes parlent, le laborieux travail d'archivage se poursuit, comme si rien ne semblait pouvoir l'arrêter. « Greatauk vit déboucher du palier une longue file de portefaix, qui venait décharger dans la salle leurs crochets lourds de papiers, et il aperçut l'ascenseur qui s'élevait en gémissant, ralenti par le poids des dossiers. » Le ministre, cependant, se montre inquiet. Il demande à son subordonné si, parmi ces preuves, il y en a de « fausses ». En souriant finement, l'autre lui rétorque qu'il y en a d'« appropriées ». Rassuré par une telle formulation, le général Greatauk exprime son contentement : « Il y en a d'appropriées, tant mieux ! Ce sont les bonnes. Comme preuves, les pièces fausses, en général, valent mieux que les vraies, d'abord parce qu'elles ont été faites exprès, pour les besoins de la cause, sur commande et sur mesure, et qu'elles sont enfin exactes et justes. Elles sont préférables

aussi parce qu'elles transportent les esprits dans
un monde idéal et les détournent de la réalité qui,
en ce monde, hélas ! n'est jamais sans mélange… »

La parodie d'Anatole France, tout en nous faisant rire, sonne juste. Traquant une identité qui se
dérobait, les accusateurs de Dreyfus ont recherché
l'accumulation de preuves, sous toutes les formes.
Et, comme Greatauk, ils ont fini par préférer des
pièces fausses, forgées « pour les besoins de la
cause », parce qu'elles les transportaient dans ce
« monde idéal » auquel ils voulaient croire.

Reprenons les faits. Quels sont ces documents ?

Le bordereau, d'abord. Il s'agit d'une lettre parvenue au bureau des renseignements de l'armée à
la fin du mois de septembre 1894 : recueillie par
un agent français dans la corbeille de Maximilian
von Schwartzkoppen, l'attaché militaire allemand,
elle recense une série de documents dont elle
dresse la liste : « Sans nouvelles m'indiquant que
vous désirez me voir, je vous adresse cependant,
Monsieur, quelques renseignements intéressants :
1° une note sur le frein hydraulique du 120 et la
manière dont s'est conduite cette pièce ; 2° une
note sur les troupes de couverture (quelques modi-
fications seront apportées par le nouveau plan) ;
3° une note sur une modification aux formations
de l'artillerie ; 4° une note relative à Madagascar ;
5° le projet de manuel de tir de l'artillerie de campagne (14 mars 1894). »

L'auteur de la lettre précise, dans les lignes qui suivent : « Ce dernier document est extrêmement difficile à se procurer et je ne puis l'avoir à ma disposition que très peu de jours. Le ministère de la guerre en a envoyé un nombre fixe dans les corps et ces corps en sont responsables. Chaque officier détenteur doit remettre le sien après les manœuvres. Si donc vous voulez y prendre ce qui vous intéresse et le tenir à ma disposition après, je le prendrai. À moins que vous ne vouliez que je le fasse copier in extenso et ne vous en adresse la copie. Je vais partir en manœuvre. »

Trois documents concernent l'artillerie. Les informations proposées portent notamment sur les améliorations techniques apportées au canon de 120 court : la mise au point d'un frein hydropneumatique destiné à maîtriser le recul au moment du tir. Les « troupes de couverture » évoquées sont celles qui doivent se porter sur la frontière aux premières heures de la mobilisation générale. Quant à l'allusion à Madagascar, elle vise les préparatifs de l'expédition militaire qui devait conquérir l'île en 1895. Or ce texte s'applique mal à ce que l'on sait de la personnalité d'Alfred Dreyfus. Ce dernier n'a participé à aucune manœuvre en 1894. Les remarques finales paraissent peu vraisemblables sous la plume d'un officier spécialiste des questions d'artillerie, comme l'était Dreyfus : de toute évidence, il n'aurait rencontré aucune difficulté pour se procurer le « manuel de tir de l'artillerie de campagne » dont il est question.

Le bordereau n'a connu aucune publicité en 1894. Les débats du conseil de guerre ont été couverts par le huis clos. Edgar Demange, l'avocat de Dreyfus, s'est engagé à ne rien divulguer du dossier de son client. Mais des fuites vont se produire. Dans son numéro daté du 15 septembre 1896, le quotidien *L'Éclair*, favorable à l'armée, résume le contenu du texte, qu'il présente comme une preuve déterminante. Un fac-similé paraîtra, quelques semaines plus tard, dans *Le Matin* du 10 novembre. Plus tard, on pourra le comparer avec des reproductions de l'écriture d'Esterhazy, lorsque celle-ci sera connue, et l'identité de l'auteur du bordereau ne fera alors plus aucun doute aux yeux des dreyfusards.

En décembre 1894, faute d'éléments décisifs, les juges du conseil de guerre hésitaient à condamner Alfred Dreyfus, quand, au dernier moment, on leur a communiqué – en toute illégalité – un dossier secret, inconnu de l'avocat de la défense ; et c'est ce qui a fini par emporter leur conviction.

Au cœur de ce dossier se trouve une lettre, que l'on désignera sous l'appellation de « canaille de D. ». Datant probablement du printemps de 1894, adressée par Schwartzkoppen à son collègue italien, Alessandro Panizzardi, reposant sur une syntaxe approximative et parsemée de fautes

d'orthographe, elle est signée du prénom féminin
« Alexandrine », conformément aux usages épis-
tolaires des deux attachés militaires qui entrete-
naient des relations homosexuelles : « Je regrette
bien de pas vous avoir vu avant mon départ. Du
reste, je serais [*sic*] de retour dans 8 jours. Si [*sic*]
joint 12 plans directeurs de Nice que ce canaille
de D. m'a donné [*sic*] pour vous. Je lui ai dit que
vous n'aver [*sic*] pas l'intention de reprendre les
relations. Il prétend qu'il y a eu un malentendu et
qu'il ferait tout son possible pour vous satisfaire.
Il dit qu'il s'était entêté et que vous ne lui en
vouler [*sic*] pas. Je lui ai répondu qu'il était fou
et que je ne croyais pas que vous voudrier [*sic*]
reprendre les relations. Faites ce que vous vouler [*sic*]. Au revoir, je suis très pressé. » Comme
on le voit, le nom de « Dreyfus » ne figure pas
explicitement dans ce document. En réalité, cette
initiale, « D. », ne concerne pas l'accusé, mais un
petit escroc (peut-être un certain Dubois) qui se
livrait à des trafics sans grande envergure et dont
Schwartzkoppen voulait se débarrasser.

En dehors de la pièce dite « canaille de D. »,
le dossier secret contient la traduction d'un court
mémento rédigé en allemand par Schwartzkoppen,
une lettre de Panizzardi à Schwartzkoppen
(faisant allusion à un contact à l'État-major, le
lieutenant-colonel Davignon), et deux rapports
de police falsifiés provenant d'un agent du service des renseignements, Guénée. S'y ajoute un

commentaire explicatif que Du Paty a rédigé sous la houlette du colonel Sandherr : ce texte analyse les différentes pièces en montrant que « les faits énumérés », en dépit de leur caractère lacunaire, « peuvent s'appliquer » au capitaine Dreyfus.

Une autre pièce accusatrice va jouer un rôle capital dans les années qui suivront. En 1898, au moment où Zola lance son « J'accuse », elle fonde la conviction absolue des responsables de l'État-major, dans la mesure où elle porte, en toutes lettres, le nom de « Dreyfus ». Mais il s'agit d'un faux, réalisé par le commandant Henry à la fin du mois d'octobre 1896, quand Picquart s'est trouvé forcé d'abandonner ses fonctions à la tête du bureau des renseignements. C'est un billet adressé par Panizzardi à Schwartzkoppen, rédigé dans un sabir censé lui donner un air d'authenticité, puisque l'attaché militaire italien manie très mal la langue française : « Mon cher ami… J'ai lu qu'un député va interpeller sur Dreyfus. Si on demande à Rome nouvelles explications, je dirai que jamais j'avais des relations avec ce Juif. C'est entendu. Si on vous demande, dites comme ça, car il ne faut pas qu'on sache jamais personne ce qui arrivé avec lui. »

La première phrase fait allusion à une interpellation que le député Castelin devait faire à la Chambre des députés. En juillet 1897, quand il a commencé sa propre enquête, Scheurer-Kestner, le vice-président du Sénat, a eu connaissance de cette lettre grâce au général Billot, son ami de longue date. Ce dernier lui en a alors cité de mémoire le contenu, dans une version approximative : « Tu vas partir pour Berlin, comme je vais partir pour Rome. Le ministre de la Guerre est très ennuyé de cette interpellation ; il doit être bien entendu entre nous que, si nous sommes questionnés chez nous, nous affirmerons n'avoir jamais eu de rapports avec ce Juif ! » Tout de suite, Scheurer a pensé à la probabilité d'une pièce forgée. Il l'a dit immédiatement à Billot, et il le lui a répété au cours d'une longue entrevue qui a eu lieu entre les deux hommes le 30 octobre 1897. Mais, bien entendu, il ignore tout de sa provenance. Le général de Pellieux (responsable de l'enquête sur Esterhazy qui s'est déroulée à la fin de l'année 1897) commettra l'erreur de révéler publiquement l'existence de cette lettre au cours de l'une des audiences du procès Zola, le 17 février 1898. Quelques mois plus tard, le réexamen du dossier secret et la découverte de la malversation commise entraîneront l'arrestation d'Henry, qui se suicidera dans sa cellule du Mont-Valérien, le 31 août 1898.

Ainsi interviennent dans l'affaire Dreyfus d'étranges fantômes de papier, aussi puissants que des personnages réels. Individualisés par des noms qui évoquent leur aspect matériel, leur origine, ou encore l'un des mots clés de leur message (le « bordereau », la pièce « canaille de D. », le « mémento de Schwartzkoppen », la « lettre Davignon », le « faux Henry »), ils sont pourvus d'une sorte d'autonomie. À travers les mythes qu'ils font surgir, ils donnent naissance à une succession de documents chargés de leur donner une consistance. C'est ce phénomène qui explique l'étonnante expansion du dossier secret de 1894.

Au départ, ce dossier se limite à quelques éléments à peine. Puis on le nourrit régulière- ment de pièces complémentaires. Ainsi le dossier devient-il de plus en plus monstrueux. Quand on le reclasse, en juin 1898, après le procès de Zola, il compte près de 300 cotes. Au procès de Rennes, en août 1899, on verra ce spectacle éton- nant, deux soldats arriver dans la salle d'audience en traînant péniblement l'immense panière qui contient l'ensemble du dossier. C'est une telle masse documentaire que la Cour de cassation aura la charge d'examiner, quand viendra le moment de la seconde révision, en 1904. Le dossier com- portera alors près de 500 pièces.

Pour comprendre ce qui se joue, il faut se rappeler que le document autographe fascine les consciences, en cette fin du XIXe siècle. À un moment où les méthodes de l'histoire se cherchent encore, l'autographe apparaît comme le moyen le plus sûr pour comprendre le réel, interpréter les événements du passé ou déchiffrer ceux du présent.

Mais les procédures demeurent incertaines. Les faussaires se mêlent aux historiens. Poussés par l'esprit de système, animés par l'enthousiasme de la recherche, ils souhaitent combler les lacunes qui se manifestent dans la chaîne documentaire.

L'un de ces faussaires, Vrain Lucas, est resté célèbre, car il poussa son activité d'inventeur jusqu'à une forme de génie. Créateur d'une collection prodigieuse de près de 30 000 pièces imaginaires, dans laquelle on trouvait des lettres d'Alexandre le Grand, de Vercingétorix ou de Charlemagne, il fut jugé et condamné en 1870, après avoir longtemps abusé de nombreux clients, dont un membre de l'Institut, le mathématicien Michel Chasles. Pour se justifier, il déclara, à son procès, qu'il avait voulu rendre à la France un patrimoine intellectuel dont elle avait été privée. À l'aide des documents qu'il avait forgés, il entendait rétablir une vérité historique que l'on avait dissimulée : il souhaitait montrer, par exemple, que Pascal avait découvert, bien avant Newton, la loi de la gravitation universelle !

La Section de statistique – où Henry apprit son métier, sous la direction du colonel Sandherr – n'était pas très éloignée, en 1894, de l'atelier de Vrain-Lucas. Les informations y arrivaient par bribes, sous la forme de bouts de papier déchirés qu'il fallait réunir pour obtenir une signification souvent incertaine. On ne classait pas les archives d'une manière rationnelle. Les armoires débordaient de documents entassés dans de multiples dossiers où l'on puisait librement, à la recherche de la pièce rare, lorsqu'on voulait résoudre une énigme qui se présentait. C'est ce qu'indiqua le lieutenant-colonel Cordier lors de sa déposition au procès de Rennes, le 29 août 1899. Ancien adjoint du colonel Sandherr, désormais convaincu de l'innocence d'Alfred Dreyfus, il prenait ses distances avec ce milieu dont il était issu, mais dont il considérait les méthodes avec une certaine ironie : « Il paraît que le recollage de ces papiers exerce une certaine fascination ; c'est comme quand on fait des réussites aux cartes, cela attire, et quand on s'est mis à recoller des papiers, on continue à en recoller encore. »

Si Cordier s'est montré capable de faire preuve de lucidité, cette fascination, en revanche, s'est pleinement exercée sur l'esprit d'Henry. Officier sorti du rang, pourvu d'une instruction rudimentaire, Henry se passionnait pour ces jeux de cartes sans cesse rebattues. La production d'un faux a fini par lui apparaître comme un procédé normal. Pour lui, il s'agissait simplement d'introduire une nouvelle carte, à la suite des précédentes, pour compléter une série dont un élément manquait. Henry incarnait l'esprit d'obéissance. Il ne supportait pas que le moindre danger pût menacer l'institution militaire. Maître de cartes dont il disposait à son gré, il était en mesure de fournir à ses chefs les preuves dont ils avaient besoin. Et, comme le personnage de Panther dans le roman d'Anatole France, il trouvait dans son activité « une patriotique satisfaction ».

De fait, ceux qui le défendront après sa mort diront, pour honorer sa mémoire, qu'en forgeant le document qui avait causé sa perte, il réalisait, pour le bien de la nation, un « faux patriotique ».

3

Les expertises d'écriture
ont-elles joué
un rôle déterminant ?

Les voici s'avançant dans l'enceinte du tribunal. Ce sont les trois experts. Ils se nomment
Belhomme, Couard et Varinard. Leurs noms,
lorsqu'on les prononce, laissent entendre, sous la
« belle » apparence, les mots de « couardise » et de
« vanité ». Belhomme : « Haut, voûté, des yeux
foncés dans une face poudreuse ; coiffé, barbifié
de toiles d'araignées ; jaunâtre, passé, déteint, il
apparaît vénérable, vétuste et décevant, comme
une fiole vide retrouvée dans une cave, et revêtue
de la poussière des ans. » Couard : « Un colosse
dont la tête est tout en menton. Le reste n'a l'air
que d'un accessoire, d'une annexe, d'un superflu,
d'un luxe : le couvercle de l'encrier, le bout de
l'œuf à la coque qu'a décapité le couteau. Quand
il parle, mâchant les mots dans son formidable
appareil buccal, vous prend une inquiétude

de cauchemar : il semble que le maxillaire se déclenche, et que la partie inférieure ne pourra jamais remonter, va demeurer là, bâillante, sur le thorax. » Varinard : « Un roquet hargneux, petiot, jeunet, rageur, le pas cassant, la voix coupante – ah ! mais ! »

C'est ainsi que la journaliste Séverine (rédactrice au journal féminin *La Fronde*) décrit trois des experts appelés à témoigner lors d'une des audiences du procès d'Émile Zola, le 14 février 1898. Elle se montre d'une grande férocité. Sa plume est impitoyable. Il faut dire que, de leur côté, ces experts l'ont bien cherché, en raison de leur profonde ineptie !

Pièce centrale de l'accusation dirigée contre Dreyfus, le bordereau a fait l'objet de multiples expertises. En 1894, à la suite de l'arrestation d'Alfred Dreyfus, on l'a soumis à cinq experts successifs : Alfred Gobert, expert auprès de la Banque de France et de la cour d'appel de Paris, a d'abord été sollicité, puis on s'est tourné vers Alphonse Bertillon, le chef du service de l'identité judiciaire de la préfecture de police ; et, pour nourrir le dossier d'accusation, on a également demandé à Étienne Charavay, Eugène Pelletier et Pierre Teyssonnières d'examiner le document. En 1897, au moment de l'enquête conduite au sujet d'Esterhazy, le général de Pellieux a recruté trois nouveaux experts, ceux que nous venons d'évoquer : Edme-Étienne Belhomme, Émile Couard et Pierre Varinard.

Ces expertises n'ont pas donné des résultats identiques. Gobert et Pelletier ont refusé d'attribuer à Alfred Dreyfus l'écriture du bordereau, alors que leurs collègues ont, au contraire, accablé l'accusé. Mais les analyses de ces derniers divergeaient. Charavay et Teyssonnières pensaient que le bordereau révélait l'écriture courante de Dreyfus, mais sous une forme indirecte. Belhomme, Couard et Varinard soutenaient que le document avait toutes les apparences d'un faux, précisément parce qu'il présentait d'étonnantes similitudes avec l'écriture d'Esterhazy ! Bertillon, enfin, prétendait que Dreyfus avait imité sa propre écriture, mais en introduisant un certain nombre de variations de nature à empêcher toute identification ultérieure.

L'analyse produite par Alphonse Bertillon a joué un rôle important dans les débats qui se sont déroulés à l'occasion du procès de Zola, puis à Rennes, ensuite, quand toute l'Affaire a été reprise. Au moment de la seconde révision, en 1906, elle fait encore l'objet de nombreuses discussions : le mémoire produit par Henry Mornard, l'avocat d'Alfred Dreyfus, et le réquisitoire du procureur général Baudoin s'appliquent longuement à la réfuter.

Il faut reconnaître qu'Alphonse Bertillon n'était pas une personnalité négligeable. Entré en 1879 à la préfecture de police, d'abord modeste employé, il avait progressivement mis au point la méthode anthropométrique qui permet de ficher et de reconnaître les individus à partir de leurs mensurations. Il avait fondé le service de l'identité judiciaire, préfiguration des laboratoires modernes de criminologie. Ses résultats lui valaient une excellente réputation. On venait le consulter d'un peu partout. Convaincue par les avantages du « bertillonnage », la police américaine avait même adopté son système. Bref, il apparaissait, dans son domaine, comme une sommité. On ne pouvait confier l'affaire Dreyfus à meilleur expert.

La thèse avancée par Bertillon peut être résumée par un terme technique, qui relève du langage des graphologues : l'*autoforgerie*. D'après Bertillon, Dreyfus aurait eu l'idée ingénieuse d'imiter sa propre écriture… N'avait-on pas affaire à un polytechnicien, un homme d'une grande intelligence, capable d'imaginer tous les stratagèmes ?

En réalité, Bertillon ne se considérait pas véritablement comme un expert en écriture. C'est ce qu'il avoue, à la surprise générale, dès le début de sa déposition au procès de Zola, le 12 février 1899 : « Je n'ai pas confiance dans l'expertise en écritures ; je crois que c'est une chose qui est bonne pour une élimination, mais qu'ensuite il faut en faire table rase. Quant à moi, j'ai des preuves convaincantes et démonstratives. » Et il ajoute, faisant allusion au mot du général Mercier qui prétendait, dans cette affaire, être guidé par son « flair d'artilleur » : « Ce ne sont pas des preuves de flair, c'est une démonstration que le bordereau a été écrit par le premier condamné. »

S'il se dit réservé devant la graphologie, c'est qu'il veut la perfectionner, la faire passer du rang d'une simple pratique à celui d'une science. Il a constitué une vaste collection d'autographes, qu'il a classés par syllabes ou par caractères, de façon à pouvoir déterminer toutes les formes possibles du graphisme naturel ou déguisé. Semblable aux théoriciens de l'évolution qui analysent les classes d'êtres vivants grâce aux collections de fossiles qu'ils ont rassemblées, il a répertorié toutes les formes de caractères possibles, et il possède des théories bien arrêtées sur la façon dont ces caractères peuvent se répéter dans l'écriture, évoluer, ou se transformer. Avide de totalité, il raisonne en savant, s'efforçant de donner à l'enquête policière la forme d'un raisonnement global intégrant toutes les possibilités qu'elle peut exploiter, l'anthropométrie ou la graphologie. Assuré de la valeur de son savoir, il a cru, en 1894, pouvoir démêler le problème qui lui est soumis. Et il a construit alors un système explicatif sur lequel il ne veut plus revenir, parce qu'il possède, à ses yeux, une rigueur mathématique. Lors de l'audience du 12 février, il livre une parole étonnante qui le résume entièrement. Commentant une visite que le lieutenant-colonel Picquart lui avait rendue, en mai 1896 (pour lui soumettre un spécimen de l'écriture d'Esterhazy), il précise : « J'avais une écriture qui ressemblait à celle du bordereau ; or, j'ai la démonstration absolue que le bordereau ne peut pas être d'une autre personne que le condamné. Qu'est-ce que cela me fait qu'il y ait d'autres écritures semblables à celles-là ? Il y aurait cent officiers au ministère de la guerre qui auraient cette écriture, cela me serait absolument égal, car, pour moi, la démonstration est faite. »

Le système de Bertillon se fonde sur un raisonnement scientifique qui comprend trois moments. Tout part d'une hypothèse graphologique, posée comme intuition première : le bordereau n'est pas le produit d'une écriture naturelle ; c'est une écriture forgée, décalquée à partir de mots ayant servi de modèles. Le type de papier employé (un papier pelure quadrillé) et les irrégularités des caractères sur l'ensemble du texte constituent autant d'indices probants. Dreyfus aurait utilisé sa propre écriture ainsi que le modèle graphique offert par l'écriture de son frère. Pour soutenir cette idée, Bertillon s'appuie sur une lettre de Mathieu Dreyfus saisie au domicile de l'accusé, au moment de la perquisition effectuée par Du Paty, en octobre 1894 : après de longues recherches, il a cru découvrir qu'un terme présent dans cette lettre – le mot « intérêt » – avait servi de matrice pour la composition de l'ensemble du bordereau.

Sur ce schéma se greffe une hypothèse psychologique concernant les stratégies de défense utilisées par un espion. Alfred Dreyfus, d'après Bertillon, a imaginé l'éventualité d'être pris. Aussi a-t-il élaboré un type d'écriture qui présente avec la sienne à la fois des similitudes et des différences. Car il a envisagé les deux possibilités qui pouvaient se présenter : soit le bordereau est saisi en dehors de son domicile, et dans ce cas, il peut arguer des *différences* avec sa propre écriture pour dire qu'il n'est pas coupable ; soit le bordereau est saisi à son domicile même, et dans ce cas, il utilise les *ressemblances* avec son écriture pour soutenir qu'on avait voulu le compromettre en glissant dans ses papiers un document dont il n'est pas l'auteur.

Dans une troisième étape, enfin, la démonstration est intégrée au sein d'une théorie d'ensemble, associant les observations techniques et les hypothèses psychologiques. Elle est résumée par un schéma géométrique – un « diagramme » –, destiné à montrer le fonctionnement du système de défense utilisé. Cet étrange document offre à la vue le dessin d'une citadelle militaire, dont la forme rappelle les places fortes construites par Vauban. Un assiégé imaginaire s'y défend contre les attaques qu'on lui oppose. Au lieu d'armes, il utilise les artifices de son écriture ; et ses munitions soigneusement amassées se composent de mystérieux rébus graphiques. En haut du dessin, à gauche, sont figurées les techniques utilisées contre les « poursuites et attaques judiciaires à la suite de la prise de document *sur l'auteur même*, ou à son *domicile*, ou sur un émissaire qui, en donnant son propre nom, aurait en même temps donné le sien ». En haut, à droite, sont repré- sentés les moyens qui permettent de contrer les « poursuites et attaques judiciaires à la suite du retour du document sans indication d'auteur ». Au centre se tiennent l'« arsenal de l'espion habituel » et la « citadelle des rébus graphiques ». En bas, à gauche et à droite, sont notés les plans de défense en cas d'attaques « venant de la gauche » (« coup monté : 1° par un subordonné – 2° par un véritable espion ténébreusement conseillé »), ou « venant de la droite » : « 1° Se tenir coi dans l'espérance que l'assaillant, intimidé, à première vue, par les maculatures et les signes de l'écriture rapide, recu- lera devant les initiales et le tour des doubles SS. 2° Se réfugier dans l'arsenal de l'espion habituel. 3° Invoquer le coup ténébreusement monté. »

Une démonstration lumineuse, qui a laissé pan- tois l'auditoire, lorsqu'elle a été présentée, pour la première fois, au procès de Zola ! Anatole France n'a pas manqué de s'en moquer dans sa parodie de *L'Île des pingouins*... Vermillard, l'« illustre expert en écritures » expose la théorie suivante (Pyrot, le personnage qui correspond à Dreyfus, a été accusé d'avoir vendu à l'ennemi un lot de bottes de foin destiné à la cavalerie) : « Ayant étudié attentive- ment les papiers saisis chez Pyrot, notamment ses livres de dépenses et ses cahiers de blanchissage, j'ai reconnu que, sous une banale apparence, ils constituent un cryptogramme impénétrable dont j'ai pourtant trouvé la clé. L'infamie du traître s'y voit à chaque ligne. Dans ce système d'écriture ces mots : "Trois bocks et vingt francs pour Adèle" signifient : "J'ai livré trente mille bottes de foin à une puissance voisine." D'après ces documents j'ai pu même établir la composition du foin livré par cet officier : en effet, les mots "chemise, gilet, caleçon, mouchoirs de poche, faux cols, apéritif, tabac, cigares" veulent dire "trèfle, pâturin, luzerne, pimprenelle, avoine, ivraie, flouve odorante et fléole des prés". »

Il est un militaire qui a pris au sérieux, du moins en apparence, les élucubrations de Bertillon. Il s'agit du général Mercier qui, jusqu'à la fin, poursuivit Alfred Dreyfus de sa vindicte. Au procès de Rennes, il défendit avec aplomb le caractère scientifique des thèses de Bertillon, en déclarant, lors de la deuxième audience, le 12 août 1899 : « Le bordereau est une véritable épure géométrique dont les lignes sont tracées selon une loi déterminée, de même que dans chaque ligne tous les mots sont placés suivant une loi déterminée, de même dans chaque mot toutes les lettres sont placées suivant une loi déterminée. Ces lois ont été trouvées après plusieurs années de recherche[s] aussi persévérantes que sagaces. » Et de poursuivre, en s'adressant aux juges du conseil de guerre : « Vous connaissez cette expérience. On la fera sous vos yeux et vous verrez apparaître avec une netteté

suffisante pour former votre conviction le mot qui
sera révélateur pour vous et accusateur pour le
capitaine Dreyfus, le mot qui est en même temps
le procédé mécanique de la trahison et probablement aussi sa raison psychologique, le mot *intérêt* ;
et ce mot *intérêt* ne sera pas écrit d'une façon
quelconque, il sera reproduit par la photographie
de telle façon que si vous prenez un calque, ce
calque se mettra sur le mot *intérêt*, trouvé entre
les mains du capitaine Dreyfus. »

Mercier à Rennes, au cours de l'été 1899, vantant le mérite des inventions bertillonesques ? On
croirait entendre parler un personnage de *L'Île des
pingouins*. La réalité l'emporte sur la parodie.

4

Le « J'accuse » de Zola offre-t-il un récit complet de l'affaire Dreyfus ?

« Comprenez donc qu'une seule page écrite par un grand écrivain est plus importante pour l'humanité que toute une année de votre agitation de fourmilière. » Cette vigoureuse exhortation, Zola l'adressait aux hommes politiques de son époque dans un article publié le 17 août 1880 par *Le Voltaire*, un journal auquel il collaborait. Il dénonçait la médiocrité du personnel politique de son époque, en lui reprochant son arrogance et son mépris de la littérature. L'apostrophe était cinglante : « Prenez-moi un scrofuleux, un crétin, un cerveau mal conformé, et vous trouverez quand même dans le personnage l'étoffe d'un homme politique. »

Quel paradoxe ! Voici, dix-huit ans plus tard, qu'il entre, à son tour, dans la « fourmilière » de la politique, en se jetant dans le grand combat

des dernières années de son existence : son engagement en faveur d'Alfred Dreyfus, que marque
la publication de « J'accuse » dans *L'Aurore*, le
13 janvier 1898. Mais il le fait en se conformant
à l'idéal qu'il formulait jadis : écrire, au moment
décisif, une page, une « seule page », qui soit
plus importante, « pour l'humanité », que les
manœuvres stériles dans lesquelles s'enferment
habituellement les acteurs du monde politique.

Tel est bien l'effet produit par « J'accuse ». Pour la
circonstance, ce numéro exceptionnel de *L'Aurore*
a été imprimé à 300 000 exemplaires, alors que
le journal tire habituellement à 20 000 ou
30 000 exemplaires. Charles Péguy a conservé le
souvenir de ces moments extraordinaires : « Il y
eut un sursaut. La bataille pouvait recommencer. Toute la journée dans Paris les camelots à
la voix éraillée crièrent *L'Aurore*, coururent avec
L'Aurore en gros paquets sous le bras, distribuèrent
L'Aurore aux acheteurs empressés. Ce beau nom
de journal, rebelle aux enrouements, planait
comme une clameur sur la fiévreuse activité des
rues. Le choc donné fut si extraordinaire que Paris
faillit se retourner. »

Comment caractériser l'article de Zola ? On
pourrait dire qu'il s'agit d'un *factum*, en utilisant
un terme aujourd'hui quelque peu vieilli. Un *factum*, comme le rappelle le dictionnaire d'Émile
Littré, est « l'exposé des faits d'un procès », « un

mémoire qu'une personne publie pour attaquer ou se défendre ». Le texte de « J'accuse » en possède la logique argumentative. La longueur de l'exposé est exceptionnelle. Dans la presse de l'époque, un article politique fait habituellement deux, trois colonnes au maximum : telle est la taille, par exemple, des éditoriaux de Clemenceau dans *L'Aurore*. Ce jeudi 13 janvier, c'est pratiquement la moitié du numéro de *L'Aurore* qui est occupée. Ce jour-là, sur les quatre pages que comporte le journal, les lecteurs ne disposent, en fait, que de l'article de Zola : à côté, ne restent que quelques nouvelles rapides, sans grande importance, suivies par les publicités de la dernière page.

Zola propose le récit complet de l'affaire Dreyfus telle qu'on peut la connaître au moment où il écrit. Il expose les faits, les ordonne, explique leur enchaînement. Son exposé commence par « l'affaire Dreyfus » elle-même avant de passer à « l'affaire Esterhazy ». Cette distinction est conforme à la perception de la presse, à cette époque. Une affaire se résume à un procès. Or deux conseils de guerre se sont déroulés : le conseil de guerre de décembre 1894 qui a condamné Dreyfus, et celui des 10 et 11 janvier 1898 qui vient d'acquitter Esterhazy.

Quatre personnages se trouvent au centre de ces exposés successifs, quatre figures d'officiers, un capitaine, un commandant, deux lieutenants-colonels : la victime, Alfred Dreyfus ; le traître, Esterhazy ; Du Paty de Clam, l'accusateur, responsable de l'instruction judiciaire ; et Picquart, le libérateur, qui a découvert le nom du véritable coupable. Le regard de romancier s'attarde sur ces personnages dont il analyse les situations respectives. Zola le pressent, deux récits peuvent être fournis de cette histoire complexe. À la logique du récit dreyfusard, qu'il s'efforce d'établir (Dreyfus innocent, Du Paty accusateur, Picquart libérateur), s'opposent les inventions du récit adverse, reposant sur des données identiques dont la perspective est retournée (Esterhazy innocent, Picquart accusateur, Du Paty libérateur). D'une explication à l'autre, de la vérité au mensonge, on bascule aisément. Il suffit d'inverser les valeurs accordées aux personnages.

En entrant dans l'histoire de l'affaire Dreyfus, Zola approfondit la réflexion qu'il avait conduite en écrivant, quelques années plus tôt, *La Débâcle*, le roman qui racontait l'histoire du désastre de Sedan. Il avait décrit la condition des soldats, peignant le désarroi des hommes de troupe confrontés au spectre de la défaite. Avec le texte de « J'accuse » il revient vers l'armée, mais en allant, cette fois, au cœur de son commandement, de ce qu'il appelle « l'arche sainte ». Il médite sur les mystères des bureaux de l'État-major, si impénétrables. Sous ses yeux se dessinent deux images : celle d'une armée ancienne, à laquelle appartient un traîneur de sabre tel qu'Esterhazy ;

et celle d'une nouvelle armée, désireuse, après la
défaite de 1870, de se reconstruire sur des bases
modernes, et qu'illustre Dreyfus, le polytechnicien, à côté de Picquart, le saint-cyrien, capable,
au nom de la vérité, de mettre sa carrière en jeu.

La fin du texte – la série des « J'accuse » –
constitue ce qui demeure, aujourd'hui, la partie
la plus célèbre de l'article de Zola. Cette péroraison attaque d'abord les responsables de l'armée.
Les principaux acteurs du drame sont désignés
nommément, les uns après les autres : Du Paty
de Clam ; Mercier et Billot, les ministres de la
Guerre successifs ; Boisdeffre et Gonse, les chefs
de l'État-major ; Pellieux et Ravary, qui ont
conduit l'enquête précédant le procès d'Esterhazy.
À l'arrière-plan sont évoqués ceux qui ont prêté
leur concours à ce scandale : les experts, imbé-
ciles ou aveugles, qui ont eu à examiner l'écriture
de Dreyfus ; la presse nationaliste, parfaitement
consciente, elle, mais dont l'intérêt était de développer l'esprit de haine. Vient enfin la dernière
accusation, la plus grave. Elle atteint directement
les conseils de guerre qui ont jugé Dreyfus et
Esterhazy – celui de décembre 1894, et celui qui
vient de se dérouler, le 10 et le 11 janvier 1898.

La litanie des « J'accuse » aboutit à cette ultime
déclaration : « Je n'ai qu'une passion, celle de la
lumière, au nom de l'humanité qui a tant souffert et qui a droit au bonheur. Ma protestation
enflammée n'est que le cri de mon âme. Qu'on

ose donc me traduire en cour d'assises et que l'enquête ait lieu au grand jour ! J'attends. »

Avec ce verbe, « J'accuse », inscrit en tête de *L'Aurore*, la parole devient un acte. Zola précise, en effet : « En portant ces accusations, je n'ignore pas que je me mets sous le coup des articles 30 et 31 de la loi sur la presse du 29 juillet 1881, qui punit les délits de diffamation. Et c'est volontairement que je m'expose. » L'accusation se renverse. « J'accuse », proclame l'écrivain – mais « Je demande aussi à être accusé ». Aux affirmations qui sont lancées une réponse judiciaire doit être apportée, par l'intermédiaire d'un procès.

La brutalité polémique de l'article de Zola s'inscrit dans l'horizon intellectuel des journaux de la fin du XIXe siècle. Les clameurs et les injures font partie du langage d'une presse dont le fonctionnement repose sur l'affrontement des opinions. Zola lui-même a autrefois défendu le principe de la violence polémique, en des termes provocants : en 1866, il l'a inscrit en tête de son premier recueil de critique littéraire, intitulé *Mes Haines*. Pourtant, le texte de « J'accuse » rompt avec cette tonalité. Il refuse de céder à la haine. Il veut échapper aux manifestations antisémites qui secouent les rues parisiennes, aux caricatures ignobles de la presse illustrée, aux refrains obscènes des chansons antidreyfusardes. Qu'on relise les dernières lignes : « Quant aux gens que j'accuse, je ne les connais pas, je ne les ai jamais vus, je n'ai contre eux ni rancune ni haine. Ils ne sont pour moi que des entités, des esprits de malfaisance sociale. Et l'acte que j'accomplis ici n'est qu'un moyen révolutionnaire pour hâter l'explosion de la vérité et de la justice. »

Zola s'exprime au nom de la position qu'il occupe dans le monde des lettres. Celui qui s'adresse au président de la République rappelle qu'il n'est pas le premier venu. Un argument d'autorité est avancé : cette cause est défendue par des personnalités dont on doit tenir compte ; pour la soutenir, au cours des mois qui se sont écoulés, il y a eu Scheurer-Kestner, le vice-président du Sénat ; le relais est pris par Émile Zola, l'auteur du cycle des *Rougon-Macquart*, l'ancien président de la Société des gens de lettres.

Zola parle en tant qu'écrivain. Sa légitimité, il la tient de l'importance de l'œuvre qu'il a produite. C'est ce qu'il déclare au jury de la cour d'assises, au moment de son procès, quand il s'adresse aux hommes qui vont le juger : « Regardez-moi, messieurs : ai-je mine de vendu, de menteur et de traître ? Pourquoi donc agirais-je ? Je n'ai derrière moi ni ambition politique, ni passion de sectaire. Je suis un libre écrivain, qui a donné sa vie au travail, qui rentrera demain dans le rang et reprendra sa besogne interrompue. […] Dreyfus est innocent, je le jure. J'y engage ma vie, j'y engage mon honneur. »

Une idée s'ajoute à la précédente : l'argument de la connaissance. Zola maîtrise la complexité de l'affaire Dreyfus, dont il est capable d'élucider les mystères. Cette affaire, insiste l'écrivain, il la connaît « tout entière » ; il la connaît « dans ses détails vrais ». Grâce à sa compétence de romancier, il est capable de la dérouler entièrement. Il montre qu'on peut construire un récit vraisemblable, exempt de toute ambiguïté, prouvant que Dreyfus est innocent, tandis qu'Esterhazy est coupable. D'où l'idée de « la vérité en marche ». Ce slogan donne un sens au combat qui s'engage ; mais, dans l'immédiat, à l'adresse des responsables de la condamnation de Dreyfus, il se présente comme une menace... Nous connaissons la vérité ; nous allons la dire progressivement ; arrêtez ce scandale alors qu'il en est encore temps !

Le 13 janvier 1898, lorsqu'ils découvrent le texte de *L'Aurore*, beaucoup de lecteurs sautent directement à la fin de l'article, avides de découvrir la série des accusations sur laquelle il s'achève. Cette conclusion, commente Péguy, « est sans aucun doute un des plus beaux moments littéraires que nous ayons ». Et il ajoute : « Je ne connais rien, même dans les *Châtiments*, qui soit aussi beau que cette architecture d'accusations, que ces *J'accuse* alignés comme des strophes. C'était de la belle prophétie, puisque la prophétie humaine ne consiste pas à imaginer un futur, mais à se représenter le futur comme s'il était déjà le présent. C'était d'une belle ordonnance classique, d'un beau rythme classique. »

« De la belle prophétie »… En écrivant ces mots, Charles Péguy ne s'est pas trompé. Plus d'un siècle après les événements, on ne peut qu'observer la lucidité dont a fait preuve Zola en lançant ses accusations finales. Dans la liste des personnes incriminées le romancier n'incluait pas Esterhazy. Il ne prétendait pas « accuser » Esterhazy, qui n'était à ses yeux qu'un vulgaire escroc. Mais il s'en prenait aux responsables du mécanisme de l'accusation qui s'était mis en place. Cette analyse des événements est conforme à la vision que défendent aujourd'hui, en ce début de XXIe siècle, la plupart des historiens de l'Affaire. Car le scandale que représente l'affaire Dreyfus ne provient pas du fait qu'une erreur judiciaire ait été commise. Il réside dans le refus de reconnaître la moindre responsabilité, dans la volonté de préserver à tout prix l'institution militaire, pour la mettre à l'abri des critiques. D'emblée, la conclusion de « J'accuse » situait l'Affaire sur le terrain qui devait être le sien : la mise en cause des plus hauts responsables de l'État. Une affaire d'État ne commence pas lorsqu'une faute a été commise. Elle commence quand les autorités concernées nient l'existence de cette faute et utilisent, pour la dissimuler, tous les moyens dont elles disposent.

5

Clemenceau a-t-il proposé le titre de « J'accuse » ?

Sur la première page de *L'Aurore*, le titre de l'article de Zola est imprimé sous cette forme : « J'Accuse… ! ». Les lettres, de taille élevée, occupent toute la largeur de la page. Elles s'étalent sur six colonnes. Les jambages, à large empattement, font penser aux caractères utilisés pour la confection des affiches.

La graphie est inhabituelle.

Au début de ce mot, « J'Accuse… ! », se trouvent deux majuscules, alors qu'il n'en faudrait qu'une en principe, suffisante pour signaler un titre. Mais le fait d'ajouter une majuscule supplémentaire, correspondant de surcroît à la première lettre de l'alphabet, a pour effet de détacher le verbe du pronom qui l'accompagne et de lui donner plus de visibilité encore.

À la fin du mot, une double ponctuation attire le regard : trois points de suspension, suivis d'un point d'exclamation. Elle produit un effet de

redondance qui relaie la répétition des majuscules. Les points de suspension s'ouvrent sur le
texte à venir ; et le point d'exclamation anticipe
sur la conclusion finale. La première ponctuation
crée un effet d'attente ; la seconde relaie le sens
du verbe, en soulignant, d'emblée, la force de la
parole accusatrice.

Les points de suspension sont nécessaires, comme
le point d'exclamation. Ils comblent un vide syn-
taxique, permettant que ce titre soit lisible, sur la
première page du journal. Car on se demande qui
Zola accuse... Le lecteur, sachant que le romancier défend la cause d'Alfred Dreyfus, s'attend à
une dénonciation du crime d'Esterhazy. Or, dans
la péroraison de son article, Zola laisse de côté
cette question pour s'en prendre aux responsables
de la machination politique. Son « J'Accuse... ! »
ne désigne pas un individu particulier, mais il
attaque un système politique qui s'est montré
défaillant. Le verbe, tel qu'il est employé dans
ce titre, change de nature grammaticale. D'un
emploi transitif dans la langue française, appelant
normalement un complément d'objet, voilà que,
privé de tout complément, il devient *intransitif.*
L'accusation, lancée à la face de tous, sort du
cadre d'un procès particulier pour prendre une
valeur absolue.

Comment ce titre si particulier a-t-il été choisi
par la rédaction de *L'Aurore* ? Il faut se reporter à

l'ouvrage de souvenirs publié par Ernest Vaughan, le directeur du journal, pour disposer d'un témoignage précis indiquant ce qui s'est passé, le 12 janvier 1898 dans la soirée, lorsque la décision a été prise de publier l'article que Zola venait d'apporter au siège de *L'Aurore*… « Nous cherchions un titre plus énergique pour cette œuvre admirable dont la lecture nous avait enthousiasmés. Je voulais faire un grand affichage et attirer l'attention du public. Clemenceau me dit : "Mais Zola vous l'indique, lui-même, le titre. Il ne peut y en avoir qu'un : *J'accuse* !" »

Ce témoignage fournit des informations essentielles. Clemenceau et Vaughan ont trouvé, tous les deux, le titre, « J'Accuse… ! », en réfléchissant à la présentation qu'ils voulaient donner au texte. Clemenceau indique à Vaughan qu'il s'agit de reprendre le mot-clef de la conclusion. Il réagit en lecteur visionnaire, conscient de la force rhétorique du texte. D'un point de vue éditorial, ce transfert d'un simple mot, de la fin de l'article à son commencement, constitue un geste extraordinaire.

« J'Accuse… ! », c'est donc une manchette. Pour signaler l'importance d'un événement, un journal l'indique habituellement à l'aide d'un titre imprimé sur plusieurs colonnes. Le 13 janvier 1898, le journal *L'Aurore* se trouve devant un seul événement, qu'il a lui-même créé, en choisissant de publier la lettre ouverte écrite à Félix Faure par l'auteur des *Rougon-Macquart*.

Zola avait intitulé son article : « Lettre à M. Félix Faure, Président de la République ». De ce titre il n'est pas dépossédé. Celui-ci subsiste, en tête de la première colonne de l'article, dans la présentation que propose *L'Aurore*. C'est, du reste, le titre que l'on retrouvera plus tard dans le recueil *La Vérité en marche*, publié en 1901, où seront reprises toutes les interventions faites au cours de l'affaire Dreyfus. En revanche, le « J'Accuse… ! » imaginé par la rédaction de *L'Aurore* ne figurera pas dans *La Vérité en marche*. Dans ses notes personnelles, lorsqu'il évoque son article, Zola le désigne toujours à l'aide de l'expression suivante : « Ma lettre au président de la République ». Et ceux qui lui écrivent, à cette époque, pour le féliciter ou le soutenir, emploient la même formule : « Votre lettre au président de la République… ». Preuve que les deux titres peuvent coexister sans se faire concurrence, car ils se situent à des niveaux différents : la manchette de *L'Aurore* résume, d'un seul mot, l'aboutissement d'une longue démonstration et son caractère provocateur ; le choix d'une lettre ouverte, adressée à la plus haute autorité de l'État, montre l'audace d'un mode de communication qui vise à bouleverser le cours d'une simple affaire judiciaire.

« Je voulais faire un grand affichage et attirer l'attention du public », écrit Ernest Vaughan dans ses souvenirs. Et il ajoute : « Mes affiches furent apposées dans la nuit du 12 au 13 janvier 1898. »

Il y a là quelque chose d'extraordinaire. À cette époque, l'affiche est utilisée d'une façon courante pour annoncer les romans qui doivent paraître dans les journaux sous la forme de feuilletons. Mais qu'un article, un simple article, soit signalé à l'aide de ce procédé publicitaire – qu'amplifient, sur les boulevards, les appels des camelots –, le fait est exceptionnel.

L'affichage du « J'Accuse… ! » sur les murs de Paris a trouvé un écho dans *L'Île des pingouins* d'Anatole France. Le personnage chargé d'incarner Zola s'appelle Colomban. Auteur de « cent soixante volumes de sociologie pingouine », il compte « parmi les plus laborieux et les plus estimés des écrivains » du pays. Anatole France ne choisit pas d'en faire l'auteur d'un article sensationnel publié dans la presse ; mais il le montre, « petit homme myope, renfrogné, tout en poil », sortant un jour de son domicile « avec un pot de colle, une échelle et un paquet d'affiches » et parcourant les rues pour coller sur les murs « des placards » affirmant l'innocence de celui qui avait été condamné. Le récit d'Anatole France condense l'acte de Zola en ne retenant qu'une image forte : des affiches recouvrant les murs d'une ville.

L'article de Zola a suscité de nombreuses réponses dans la presse antidreyfusarde. La plus célèbre est celle d'Édouard Drumont qui, dès le lendemain, le 14 janvier 1898, publie dans *La Libre Parole*, en première page, un article qui entend dénoncer l'action du « Syndicat juif », avec ce titre : « J'Accuse !… », suivi de l'indication, « Lettre de Drumont au Président de la République ». La présentation adoptée par la première page de *L'Aurore* est reprise à l'identique. Les mêmes caractères d'affiche sont employés, mais la ponctuation finale est modifiée. Le point d'exclamation précède les points de suspension, sans doute pour marquer l'absence d'hésitation. Drumont veut montrer qu'il n'éprouve aucun doute et qu'il est capable de révéler à ses lecteurs toute la vérité, sa vérité, sur l'affaire Dreyfus.

Prolongeant cette chaîne imitative, *La Patrie* du 16 janvier 1898 propose un « Je Prouve… ! », sous la plume de Lucien Millevoye. Le titre qui barre la première page du journal s'efforce de se distinguer du choix fait par Drumont avec l'invention d'un nouveau vocable, mais la mise en scène graphique reprend celle de *L'Aurore* : deux majuscules initiales pour le verbe et la double ponctuation finale des trois points de suspension et du point d'exclamation.

L'hebdomadaire antisémite que lancent Forain et Caran d'Ache, le 5 février 1898 (deux jours avant l'ouverture du procès de Zola devant la cour d'assises de Paris), poursuit sur cette lancée. Le dessin de la première page représente un

personnage de traître, un « Pon Badriote », lançant, à son tour, un « Ch'accuse », prononcé avec
l'accent germanique. L'individu est représenté en
train de glisser une liasse de dénonciations calom-
nieuses dans une guérite militaire située devant
une caserne. Le titre choisi par l'hebdomadaire
se réduit à cette simple onomatopée : *psst... !*
Dépourvu de majuscule initiale (le « p » de *psst* est
imprimé en bas de casse), il entend répondre au
verbe « J'accuse » par le sifflement de la moquerie. Mais la ponctuation de *L'Aurore* est reprise à
l'identique : les points de suspension et le point
d'exclamation. Le dessin devient ainsi une arme
visuelle. La polémique s'affiche dans les rues sur
les premières pages des journaux.

Dans ses notes personnelles, Zola avoue qu'en
concevant le projet de son intervention, il eut
peur que Clemenceau ne lui prenne « son idée ».
La remarque est étrange. Clemenceau dérobant
à Zola le thème de « J'accuse[1] » ? Cela semble
impossible. En ce mois de janvier 1898, le responsable politique de *L'Aurore* ne se trouve pas
du tout sur les mêmes positions que le romancier.
Pour ce qui le concerne, il ne se prononce pas
sur l'innocence de Dreyfus. Il ne sait pas. Il se

---

1. Nous utilisons ici la graphie « J'accuse », par souci de
simplification, comme nous le faisons dans l'ensemble de cet
ouvrage.

contente d'être « révisionniste », c'est-à-dire de demander la révision d'un procès qui n'a pas respecté les règles du droit. Telle est la ligne éditoriale qu'entend suivre *L'Aurore*. De fait, dès le lendemain, le 14 janvier, Clemenceau rappelle dans son éditorial quelle est sa position. Il salue l'« homme courageux » qui, au milieu de l'« universelle lâcheté », a su accomplir un « acte hardi pour la justice et pour la vérité ». Mais il ajoute : « Ce n'est point par tactique que j'ai refusé, dès le premier jour, de me laisser entraîner à proclamer l'innocence de Dreyfus. Je ne puis pas admettre qu'on ait consenti à condamner cet homme s'il n'y avait eu rien au-delà du bordereau et de l'expertise grotesque de Bertillon. » Et il précise : « Pour le moment, sans affirmer une innocence dont je n'ai point de preuves, je me borne à demander la loi égale pour tous, car les garanties de justice ne peuvent être supprimées à l'égard d'un seul sans que le corps social tout entier soit menacé dans son ensemble. »

Pourtant, il est évident qu'entre les deux hommes une sorte de concurrence se joue, au moment où surgit la possibilité d'une prise de parole décisive. Zola peut penser que Clemenceau va le devancer, montrer cette audace qui l'anime et le pousse à parler, saisir l'occasion qui se présente, alors que se déroule le procès d'Esterhazy. Le 7 janvier 1898, il a pu lire un éditorial de Clemenceau dans *L'Aurore*, intitulé : « C'est dommage ». L'article se compose d'une suite de paragraphes qui commencent tous par la même formule...

« C'est dommage que les citoyens s'abandonnent, au lieu de réagir contre les pouvoirs publics qui trahissent leur devoir. / C'est dommage que nous ayons perdu la foi – même erronée – en l'approximation humaine de justice. / C'est dommage que l'appellation de juif, de protestant, de libre penseur ou de catholique nous paraisse une justification des violences exercées contre ceux qui ne partagent pas nos croyances. / C'est dommage que la haute vertu de tolérance soit maintenant bannie de l'esprit français. / [...] C'est dommage que la France, d'abord soldat de Dieu, plus tard soldat de l'homme, soit si brutalement réveillée de son rêve d'idéal. / C'est dommage que nos aïeux ayant été grands, nous soyons moindres. / Car ce fut un noble pays, cette universelle patrie de la justice pour tous, aimée de tout ce qui aspirait au droit, redoutée de tout ce qui abusait de la force. / Voyez ce que nous avons fait, et dites avec moi que c'est dommage. »

Les paragraphes ressemblent aux strophes d'un poème. Ils s'ouvrent sur une formule initiale ; l'argumentation s'appuie sur elle pour progresser. Le texte est fondé sur une écriture du leitmotiv que « J'accuse » va reprendre, quelques jours plus tard, avec tant de force. Zola corrigera le « C'est dommage » de Clemenceau en « J'accuse ». Un regret tourné vers le passé deviendra une parole offensive, engageant l'avenir.

6

Félix Faure
a-t-il lu le « J'accuse »
d'Émile Zola ?

L'effet produit par le titre et la litanie finale des accusations tendent à faire oublier que le « J'accuse » d'Émile Zola est d'abord une lettre ouverte adressée au président de la République. Comment le destinataire de cette lettre au contenu si particulier a-t-il réagi ?

Dans la campagne que l'écrivain conduit en faveur d'Alfred Dreyfus depuis novembre 1897, l'article de *L'Aurore* se présente comme la dernière d'une série de trois lettres ouvertes successives. Il a été précédé par une *Lettre à la jeunesse*, publiée en brochure chez l'éditeur Fasquelle, le 14 décembre 1897, et une *Lettre à la France*, donnée dans les mêmes conditions le 7 janvier 1898. Ces appels à l'opinion publique s'adressaient à des entités abstraites, la jeunesse du Quartier latin qu'il s'agissait de convaincre, avec un message de vérité et de

justice, et la France, qu'il fallait ramener à la raison, contre les mensonges de la presse antisémite.
Cette fois, c'est vers un homme que se tourne
Zola, mais pas n'importe lequel, puisqu'il s'agit
du président de la République.

Les premières lignes de cette nouvelle lettre
ouverte se placent sur le terrain des relations
personnelles. Dans le langage de la rhétorique,
c'est ce qu'on appelle une *captatio benevolentiae*[1].
« Monsieur le Président… Me permettez-vous,
dans ma gratitude pour le bienveillant accueil que
vous m'avez fait un jour, d'avoir le souci de votre
juste gloire et de vous dire que votre étoile, si heureuse jusqu'ici, est menacée de la plus honteuse,
de la plus ineffaçable des taches ? » Zola évoque
indirectement une audience obtenue un an plus
tôt, le 15 février 1897, au cours de laquelle il avait
sollicité la Légion d'honneur pour son éditeur,
Georges Charpentier. L'allusion est d'ordre privé,
elle reste très vague, mais elle permet de justifier
le mode d'interpellation qui a été choisi. Entre
les deux hommes, en principe, un dialogue est
possible, car ils se sont déjà rencontrés.

« Vous êtes sorti sain et sauf des basses calomnies, vous avez conquis les cœurs… » Nouvelle
allusion, mais cette fois-ci, elle est comprise de
la plupart des lecteurs qui se souviennent de la

---

1. Procédé qui consiste, pour un orateur, à s'attirer la
bienveillance de l'auditoire.

campagne que *La Libre Parole* avait déclenchée deux ans plus tôt, en décembre 1895. Le journal de Drumont révélait que le beau-père de Félix Faure, le notaire Belluot, s'était enfui à l'étranger, quarante ans plus tôt, en emportant les fonds de son étude, et il réclamait la démission du président de la République. Une « calomnie » effectivement ! Félix Faure était étranger à cette triste affaire. Le notaire escroc avait été condamné, par contumace, à vingt ans de réclusion criminelle, et, à l'époque des faits, Berthe, la future épouse du président, n'était encore qu'une enfant ! En décembre 1895, au moment où Drumont lançait ses accusations, Zola avait pris la défense du président de la République, en jugeant cette campagne « honteuse » et « abominable ». Il l'avait écrit avec force dans un article publié dans *Le Figaro*, sous le titre « La vertu de la République ».

En janvier 1898, les attaques de *La Libre Parole* appartiennent au passé. Drumont, du reste, avait rapidement mis un terme à ses vaticinations, en constatant qu'elles le conduisaient à une impasse. Le président a donc « conquis les cœurs » ; son image s'est imposée dans l'opinion publique. Zola poursuit son argumentation, sur ce même registre d'une adresse bienveillante… « Vous apparaissez rayonnant dans l'apothéose de cette fête patriotique que l'alliance russe a été pour la France, et vous vous préparez à présider au solennel triomphe de notre Exposition universelle, qui couronnera notre grand siècle de travail, de vérité et de liberté. Mais quelle tache de boue sur votre nom – j'allais dire sur votre règne – que cette abominable affaire Dreyfus ! » En quelques mots est résumée la situation internationale de la France telle qu'elle apparaît en ce mois de janvier 1898. S'appuyant sur les événements de l'actualité récente – l'alliance franco-russe, consolidée par le voyage du président de la République à Saint-Pétersbourg, au mois d'août 1897 –, Zola envisage le futur proche, l'Exposition universelle à laquelle on travaille de façon active dans Paris, et dont le chantier est déjà bien avancé.

Jouant un rôle que ses prédécesseurs n'avaient pas été capables de tenir, Félix Faure s'efforce de donner à la fonction qui est la sienne un éclat lui permettant de rivaliser avec les grandes monarchies d'Europe. Il entend traiter d'égal à égal avec les grands de ce monde, mais en même temps il a su se rendre populaire en multipliant les visites au sein d'une France provinciale qui lui en témoigne de la reconnaissance. Quand il s'adresse aux populations ouvrières et paysannes, il rappelle fort à propos ses origines populaires, ainsi que son passé d'ouvrier tanneur dont la légende est complaisamment colportée (dans sa jeunesse de bourgeois aisé, il n'a passé, en fait, qu'un an et demi dans un atelier de tanneur, pour s'initier aux réalités du commerce). Il s'attire ainsi la faveur des foules qui le saluent du cri familier de « Félisque ».

Bel homme, sûr de sa personne, Félix Faure ne manque pas de prestance. La presse aime évoquer l'élégante silhouette de ce président monarque à la belle chevelure blanche et au visage altier, le nez bourbonien et la moustache bien dessinée. Elle se moque des recherches vestimentaires de cet homme qui se donne des allures de dandy, en arborant des tenues toujours impeccables, hauts-de-forme parés de soie, monocles en or et lavallières avantageuses. Ce sentiment est si répandu que, par une incise rapide, Zola ne peut s'empêcher de participer à cette ironie générale : « Sur votre nom – j'allais dire sur votre règne… »

Mais cette attitude altière ne convient-elle pas au prestige du président de la République ? En politique, Félix Faure a une attitude qui correspond au personnage qu'il entend jouer. Il veille avec soin à ne pas intervenir directement dans les querelles des partis. Il préfère réserver son énergie aux représentations officielles et aux négociations diplomatiques. Par son attitude, il symbolise l'unité du pays. C'est pourquoi il peut apparaître comme un recours possible. La demande qui lui est présentée n'a rien d'absurde. Plus tard, en septembre 1899, Émile Loubet dénouera la crise de l'affaire Dreyfus en accordant sa grâce présidentielle à l'accusé une nouvelle fois condamné, à l'issue du procès de Rennes. Voilà donc ce que tente « J'accuse », en janvier 1898 : une demande d'arbitrage adressée à l'autorité suprême, afin de briser l'étreinte d'une justice militaire devenue sourde à tous les appels. Zola ne se fait certes aucune illusion sur le résultat de sa démarche. Mais la mise en scène qu'il a choisie n'est pas ridicule. Parlant au nom des lettres françaises, l'auteur des *Rougon-Macquart*, l'ancien président de la Société des gens de lettres, peut se permettre ce face-à-face avec le chef de l'État.

Comment Félix Faure a-t-il réagi ? Pouvait-il se montrer sensible aux arguments avancés par Zola ? Le *Journal* qu'il a tenu au cours de ses cinq années passées à l'Élysée évoque à de nombreuses reprises le déroulement de l'affaire Dreyfus, mais il ne fait malheureusement aucun commentaire sur la publication de « J'accuse ». Il existe cependant aux Archives nationales, dans le fonds documentaire qui conserve ses papiers privés, un exemplaire de *L'Aurore* qui atteste du soin avec lequel le président a examiné ce texte qui lui était destiné. Une phrase, en particulier, a été soulignée, dans l'avant-dernier paragraphe : « L'acte que j'accomplis ici n'est qu'un moyen révolutionnaire pour hâter l'explosion de la vérité et de la justice. » Ce trait à l'encre noire relève un point essentiel : le « moyen » employé, qualifié de « révolutionnaire ». À cet acte « révolutionnaire » qui entendait renverser le cours des événements, en provoquant un nouveau procès, il n'était pas question, évidemment, de répondre.

Comme la plupart des responsables politiques qui l'entourent, Félix Faure respecte la « chose jugée ». Il faut s'en tenir au « dossier », écrit-il dans son *Journal*. « Tous ceux qui prétendent juger autrement font une œuvre mauvaise et bête, criminelle même lorsqu'elle peut avoir des conséquences graves à l'intérieur et à l'extérieur. » Et il ajoute : « Les juges ont jugé avec ces éléments. Personne n'a le droit sans preuves évidentes de douter de leur jugement. »

Il faut reconnaître une vertu à Félix Faure : s'il ne souhaite pas agir sur le cours des événements, s'il se contente de laisser les procédures judiciaires suivre leur cours, du moins ne se comporte-t-il pas en militant de la cause antidreyfusarde. Il se tient à l'écart. Son *Journal* montre qu'il n'a jamais cédé à l'antisémitisme et qu'il ne s'est pas laissé emporter par l'aveuglement de beaucoup de ses contemporains. Sceptique sur la nature humaine, il savait bien ce que valaient les responsables politiques qu'il fréquentait tous les jours. Dans son *Journal*, il les évoque sans complaisance, prisonniers de leurs faiblesses, enfermés dans leurs ambitions personnelles, prêts à toutes les lâchetés. Les responsables de l'État-major ne trouvent aucune grâce à ses yeux. Relatant un entretien avec le général de Boisdeffre, quelques jours avant que ce dernier ne soit appelé à témoigner au procès de Zola, il décrit un être faible, hésitant, quémandant un avis, ne sachant quelle attitude adopter devant les juges ; et, comme s'il se trouvait face à un enfant démuni, il doit le réconforter pour l'inviter à accomplir son devoir... Le général Billot lui inspire le mépris le plus profond, qu'il exprime dans ces quelques notes rapides, rédigées en mai 1898, lorsqu'il dresse le bilan du cabinet Méline : « Billot : roublard, personnel, ridicule de vanité. Mauvais ministre, mauvais général, mauvais sénateur. Il a été très mauvais pour le gouvernement. »

Tirant la leçon de ces analyses, faisant acte de lucidité, Félix Faure aurait-il pu répondre, un jour, à Émile Zola ? Comme on le sait, sa mort brutale, le 16 février 1899, dans le Salon d'argent du palais de l'Élysée, ne lui en a pas laissé la possibilité. Le rendez-vous privé qu'il avait accordé, ce jour-là, à sa maîtresse, la belle Mme Steinheil, lui a été fatal. Ce coup du destin a facilité la révision du procès d'Alfred Dreyfus que conduisait alors la Cour de cassation, et il a permis l'élection d'Émile Loubet, favorable à une solution de compromis. La *Libre Parole* d'Édouard Drumont, qui, jadis, avait voulu salir la mémoire de Félix Faure en rappelant les frasques du notaire Belluot, a vu dans cette mort l'aboutissement d'un complot dreyfusard. « L'ont-ils tué ? », se demanda Drumont, sur un ton inquisiteur, dans un article daté du 23 février 1899.

Mais les spéculations hasardeuses ont vite laissé place à la moquerie. La chute amoureuse de Félix Faure lui a valu une gloire posthume qui, aujourd'hui encore, demeure bien vivace. On garde en mémoire les paroles des chansonniers de l'époque qui n'ont pas manqué de célébrer, à leur manière, les talents de Marguerite Steinheil, inoubliable « pompe funèbre ». La majesté brisée du président monarque a suscité l'hilarité… « Il voulait être César, il a fini Pompée. » Sur un registre plus philosophique, nous citerons, pour terminer, ce mot qu'aurait prononcé Clemenceau, lorsqu'il apprit la nouvelle du décès de son adversaire : « En entrant dans le néant, il a dû se sentir chez lui. »

7

Les dreyfusards
ont-ils inventé
la forme de la pétition ?

C'est une soirée mondaine chez Mme Aubernon, le 15 janvier 1898, deux jours après la publication de « J'accuse ». Celle que Proust immortalisera plus tard sous les traits de Mme Verdurin – la « Patronne », trônant, ivre d'elle-même, au milieu de ses admirateurs – a réuni un groupe d'habitués dans son domicile de la rue Montchanin, près du parc Montceau. Parmi eux se trouve Ferdinand Brunetière, le directeur de la *Revue des Deux Mondes*, vieil adversaire de l'esthétique natura-liste, qui a eu plusieurs fois l'occasion de mani-fester son hostilité à l'égard de l'œuvre d'Émile Zola. Inévitablement, la conversation tombe sur l'affaire Dreyfus… Brunetière se met en colère : « M. Zola, de quoi se mêle-t-il ? La lettre : *J'accuse* est un monument de sottise, d'outrecuidance et d'incongruité. » Il poursuit : « Et cette pétition que l'on fait circuler parmi les Intellectuels. Le seul fait que l'on ait récemment créé ce mot d'Intellectuels pour désigner, comme une sorte de caste nobiliaire, les gens qui vivent dans les laboratoires et les bibliothèques, ce fait seul dénonce un des travers les plus ridicules de notre époque, je veux dire la prétention de hausser les écrivains, les savants, les professeurs, les philologues, au rang de surhommes. »

Le directeur de la *Revue des Deux Mondes* fait allusion à la pétition que *L'Aurore* vient de publier la veille, le 14 janvier, sous le titre « Une protestation ». Le texte se composait de quelques lignes : « Les soussignés, protestant contre la violation des formes juridiques au procès de 1894 et contre les mystères qui ont entouré l'affaire Esterhazy, persistent à demander la révision. » Une demande fondée sur la ligne « révisionniste » qui était alors celle de nombreux dreyfusards : exiger la reprise du procès de décembre 1894, qui avait abouti à la condamnation d'Alfred Dreyfus. Suivaient plusieurs dizaines de signatures, derrière celles de Zola et d'Anatole France, placées en tête de la liste des noms.

La publication de « J'accuse » a produit une situation inédite. L'indignation de Brunetière le montre. Le plus grave, à ses yeux, ne réside pas dans le geste de Zola, mais dans le fait qu'il soit relayé par une pétition, signée par ceux que l'on appelle désormais des « intellectuels ». Le terme vient, en effet, de surgir dans la langue française (l'adjectif « intellectuel » a pris la forme d'un nom, se chargeant ainsi d'une signification nouvelle). Qui sont-ils, au juste ? Ce sont des citoyens, connus ou inconnus, qui « protestent », poussés par leur conscience morale. En signant la pétition de *L'Aurore*, ils indiquent souvent, à la suite de leur nom, leur profession (« avocat », « professeur », « architecte », « publiciste ») ou leurs titres universitaires (« licencié », « agrégé »). Une telle attitude provoque le courroux de Brunetière. Pourquoi faudrait-il voir en eux des êtres exceptionnels, des « surhommes » ?

Il y a là quelque chose de neuf, en effet, d'inhabituel. Les années précédentes, pourtant, avaient vu surgir des pétitions venues des milieux intellectuels. Plusieurs dizaines d'écrivains et d'artistes avaient signé, en 1888, une pétition en faveur de Lucien Descaves, poursuivi par la justice à cause de son roman antimilitariste, *Sous-Offs*. Un peu plus tard, en 1894, une mobilisation du même type avait soutenu l'anarchiste Jean Grave, jeté en prison à la suite de la publication de son ouvrage sur *La Société mourante et l'anarchie*. Mais cette fois, il ne s'agit pas de la même chose. Les intellectuels de janvier 1898 vont beaucoup plus loin. Ils ne se contentent pas de faire preuve d'un sentiment de solidarité. Ils adhèrent à une cause. Ils se lancent dans un combat qui est devenu le leur. Et surtout, ils sont beaucoup plus nombreux. Une centaine à peine, en 1888 ou en 1894. Plusieurs milliers, en 1898. Car la pétition du 14 janvier 1898 suscite un grand nombre d'adhésions. Vingt listes de noms paraîtront dans *L'Aurore* et dans les grands journaux dreyfusards. Elle est bientôt suivie d'une seconde pétition, dès le 15 janvier, qui connaît le même succès. D'autres manifestations de soutien vont s'ajouter, au cours des semaines qui suivent.

Observateur attentif de ce phénomène naissant, Clemenceau écrit dans l'un de ses éditoriaux de *L'Aurore*, le 18 janvier 1898 : « Il faut le dire à leur honneur, les hommes de pensée se sont mis en mouvement d'abord. C'est un signe à ne pas négliger. Il est rare que, dans les mouvements d'opinion publique, les hommes de pur labeur intellectuel se manifestent au premier rang. » Et il ajoute ce commentaire, quelques jours plus tard, le 23 janvier : « N'est-ce pas un signe, tous ces intellectuels, venus de tous les coins de l'horizon, qui se groupent sur une idée et s'y tiennent inébranlables ? [...] Pour moi, j'y voudrais voir l'origine d'un mouvement d'opinion au-dessus de tous les intérêts divers, et c'est dans cette pacifique révolte de l'esprit français que je mettrais, à l'heure où tout nous manque, mes espérances d'avenir. »

À l'analyse de Clemenceau s'oppose celle de Maurice Barrès, dans le camp adverse. Les pétitionnaires de *L'Aurore* provoquent son ironie. Il déclare, le 1er février, dans une tribune que publie *Le Journal* : « Peut-être lisez-vous une double liste que publie chaque jour *L'Aurore* ; quelques centaines de personnages y affirment en termes détournés leur sympathie pour l'ex-capitaine Dreyfus. Ne trouvez-vous pas que Clemenceau a trouvé un mot excellent ? Ce serait la "protestation des intellectuels" !... On dresse le Bottin de l'Élite ! Qui ne voudrait en être ? C'est une gentille occasion. Que de licenciés ! Ils marchent en rangs serrés avec leurs professeurs... » Il ajoute, redoublant de mépris : « Rien n'est pire que ces bandes de demi-intellectuels. Une demi-culture détruit l'instinct sans lui substituer une conscience. Tous ces aristocrates de la pensée tiennent à affirmer qu'ils ne pensent pas comme la vile foule. On le voit trop bien. Ils se sentent plus spontanément d'accord avec leur groupe naturel et ils ne s'élèvent pas jusqu'à la clairvoyance qui leur restituerait l'accord réfléchi avec la masse. Pauvres nigauds qui seraient honteux de penser comme de simples Français. »

En se moquant du « Bottin de l'Élite », Barrès vise ces inconnus, sans notoriété aucune, qui ont mentionné leurs titres universitaires à côté de leur nom. Lui-même, il ne refuse pas de se définir comme un « intellectuel ». Il lui est déjà arrivé d'utiliser ce terme, qu'il revendique pour son propre compte. Mais dans ces « licenciés », marchant derrière leurs « professeurs », il voit des esprits à la formation incomplète, encore asservis à la pensée de leurs maîtres, des « demi-intellectuels » ayant pour seule ambition de se distinguer de la « vile foule ». Un tel argument, dirigé contre une « élite » jugée méprisante, n'est pas sans efficacité. La pensée de droite ne manquera pas de le reprendre au cours du XXᵉ siècle. Il constitue aujourd'hui le fondement des discours populistes.

Ces intellectuels se sont lancés dans un combat qui va marquer toute une génération de jeunes gens nés au début des années 1870, au moment où la IIIᵉ République se mettait en place. Beaucoup d'inconnus, sans doute, comme le relève Barrès. Mais ils sont animés de la fougue qui caractérise la jeunesse. Cette expérience collective constituera pour eux une sorte d'école de pensée dont ils sortiront transformés. Dans leurs rangs on trouve les représentants de l'avant-garde littéraire du Quartier latin : derrière Lucien Herr, le bibliothécaire de l'École normale supérieure (qui a pris l'initiative des deux pétitions de *L'Aurore*), se sont groupés Daniel Halévy, Jacques Bizet, Fernand Gregh et Marcel Proust. De nombreux écrivains ou artistes, jeunes ou moins jeunes, les ont rejoints : Charles Péguy, Léon Blum, Jules Renard, Tristan Bernard, Félix Fénéon, Camille Pissarro ou encore Paul Signac. Du côté de la littérature réaliste et naturaliste il faut citer les noms d'Octave Mirbeau, de Paul Alexis ou de Lucien Descaves (mais J.-K. Huysmans, Henry Céard et Léon Hennique, jadis membres du groupe de Médan, ont basculé, en revanche, dans le camp nationaliste). La cause dreyfusarde attire également un grand nombre de savants. Certains occupent des positions importantes au sein de l'institution universitaire, comme Émile Duclaux, le directeur de l'Institut Pasteur, le chimiste Édouard Grimaux, professeur à l'École polytechnique, ou encore le physicien Paul Langevin. Les membres de la communauté scientifique sont divisés ; leurs positions sont loin d'être unanimes. Mais, formés à la rigueur de la pensée positiviste, beaucoup sont heurtés par les invraisemblances de l'enquête qui a été conduite contre Alfred Dreyfus : ils réclament que l'on revienne à l'usage de la raison, indignés par les démonstrations délirantes soutenues par les experts en écriture dont les noms sont apparus dans le compte rendu des débats judiciaires.

Zola aurait pu demeurer en retrait (en principe, on ne signe pas une pétition censée vous soutenir). Mais il a tenu à inscrire son nom en tête de la première liste. D'une certaine façon, il adhère à ce « J'accuse » renouvelé que proposent ceux qui l'ont rejoint. Il se détache de la démonstration particulière qu'il a exposée pour entrer dans un mouvement de pensée plus vaste, que son initiative a fait surgir. Les signataires des pétitions viennent d'origines différentes – la littérature, l'art ou la science. Avec la création de la Ligue des droits de l'homme et du citoyen, en juin 1898, ils trouveront bientôt un organisme qui rassemblera leurs énergies en leur fixant un objectif commun, fidèle à l'idéal défendu par la Révolution de 1789.

« Et, chaque matin, les journaux publiaient de nouvelles listes de protestation », raconte Joseph Reinach dans son *Histoire de l'affaire Dreyfus*, en évoquant le mouvement des pétitions. « Toutes ces convictions jusqu'alors captives, qui s'étaient formées en silence depuis trois mois, mais non sans souffrance, l'acte de Zola les a délivrées. Elles se fussent fait honte désormais, si elles étaient restées cachées, si elles n'avaient pas réclamé leur part d'opprobre. Rien ne les y obligeait hier. Aujourd'hui le courage de Zola, s'offrant aux coups, eût transformé leur sympathie muette en lâcheté. La joie fut de crier sa pensée, de l'avoir criée. »

8

Alfred Dreyfus
a-t-il été défendu
par un « syndicat juif » ?

C'était une affaire simple, en apparence. Ceux qui défendaient Alfred Dreyfus possédaient de nombreux arguments qui montraient son innocence. Et surtout, ils pouvaient dévoiler le nom du véritable coupable : Esterhazy. Dans certaines histoires criminelles, l'innocence de la personne mise en cause ne fait guère de doute, du moins aux yeux d'un observateur impartial, mais l'incertitude demeure, car nul ne parvient à découvrir l'auteur du crime : l'identité du coupable se dérobe, en dépit de toutes les investigations. Rien de tel dans l'affaire Dreyfus. Elle offrait un schéma limpide : en face d'Alfred Dreyfus, la victime de l'erreur judiciaire, on pouvait placer un escroc couvert de dettes, accablé de vices, le sinistre Esterhazy.

Une fois ce schéma établi, cette affaire si simple devait donc trouver un rapide dénouement. Et pourtant son évolution n'a cessé de se compliquer. Car à chaque manifestation de la vérité une légende lui était opposée. L'état-major de l'armée et la presse nationaliste se sont constitués en un véritable *bureau des légendes*, dont la mission était de fabriquer des faux pour abuser l'opinion. Dans ses *Souvenirs sur l'Affaire*, publiés en 1935, bien des années après les événements, Léon Blum s'étonne encore de cette extraordinaire capacité dont firent preuve les antidreyfusards à nier l'évidence : « Pourquoi s'opposait-on ainsi à la vérité, à la justice ? Que signifiaient cet aveuglement ou cette méchanceté des hommes ? Quels étaient les raisons, les intérêts, les passions qui pouvaient résister avec cette obstination enragée à la simple réhabilitation d'un innocent ? Car, à notre immense stupeur, la résistance s'était organisée instantanément. À peine ébranlée par les premières révélations, on la sentit se reformer aussitôt, plus dense encore, et plus agressive. »

Une idée forme le socle de l'édifice légendaire construit par la pensée antidreyfusarde : la thèse du « syndicat juif ». C'est une théorie à la formulation sommaire, dont Édouard Drumont, le directeur de *La Libre Parole*, se fait le grand défenseur : les Juifs, qui possèdent de l'argent, ont créé un syndicat international, disposant d'immenses ressources financières, afin d'obtenir la libération de leur coreligionnaire, le traître

Dreyfus ; et ce syndicat achète à prix d'or ceux à qui il demande de défendre le traître. Telle est la réponse que Drumont oppose au « J'accuse » de Zola, lorsqu'il publie, dans *La Libre Parole* du 14 janvier 1898, sa propre « Lettre au Président de la République » : « Ce qui est hors de doute – déclare Drumont –, c'est l'existence du Syndicat. À mesure que le pays recouvre son sang-froid, l'affaire, l'affaire sans épithète, prend sa physionomie véritable. La machination juive classique, le complot international, se développe et s'explique. Ceux-là seuls s'étonnent qui ne connaissent pas le Juif ; il est vrai que ceux qui le connaissent pour l'avoir étudié, n'osent pas toujours dire ce qu'ils savent sur Israël, dans la crainte de nuire à la cause antisémitique en semblant exagérés. »

Car Drumont parle en expert. Il connaît bien la question. Il peut renvoyer ses lecteurs à son best-seller publié en 1886, *La France juive*, un gros ouvrage de 1 200 pages, divisé en deux tomes, dont personne n'imaginait, au moment de sa parution, les tirages considérables qu'il allait atteindre. Remontant aux origines de l'histoire de France avant d'analyser l'époque contemporaine, il y fait le récit de ce qu'il appelle la « conquête juive », en dénonçant la mainmise des « Juifs » sur l'appareil d'État républicain. Le premier chapitre énumère, d'une manière détaillée, les traits physiques et culturels qui caractérisent le

« sémite », par opposition à l'« aryen » ; il insiste notamment sur le principe de solidarité qui réunit, en toutes circonstances, les membres de cette communauté.

La base doctrinaire élaborée dans *La France juive* nourrit les propos de *La Libre Parole*, le quotidien que Drumont a fondé en 1892. Le mot d'ordre qui le guide est affiché en première page, sous le titre : « La France aux Français ! ». Le journal s'est spécialisé dans le langage de la haine. Saisissant toutes les occasions qui se présentent à lui, il pratique avec une rare énergie le harcèlement médiatique. Tous les scandales que la République parlementaire traverse en cette fin de siècle lui permettent de nourrir son obsession première : la dénonciation de la « puissance juive ». Lorsqu'elle surgit à la fin de l'année 1894, l'affaire Dreyfus lui apparaît comme une chance extraordinaire, dont il s'empare avec avidité. Ce nom de « Dreyfus » n'incarne-t-il pas, en lui-même, l'idée du juif tant détesté ? On le trouve déjà cité, comme par prémonition, dans les premières pages de *La France juive*, où il revient, à plusieurs reprises, pour désigner des personnages de spéculateurs ou de manipulateurs avides de gains, habiles en escroqueries de tous ordres.

À cette époque, le terme de « syndicat » ne s'est pas encore spécialisé, comme aujourd'hui, dans un emploi qui lui fait désigner principalement une organisation professionnelle regroupant des salariés qui luttent pour leurs droits. Il possède une signification plus large, désignant toute association défendant des intérêts corporatistes. C'est pourquoi il peut s'inscrire dans la construction légendaire élaborée par Drumont.

Zola et ses accusations contre l'armée ? Ne cherchez pas… C'est un « vendu » ! Il a été acheté par le « Syndicat » ! Sur les boulevards, les camelots vendent des brochures qui répandent la rumeur sous la forme de chansons ordurières. Comme ces couplets intitulés *Zola, ferm' ta boîte, t'as assez vendu !*, chantés sur l'air d'*À Ménilmontant* d'Aristide Bruant :

Quand donc finiras-tu, dis ?
Zola, d'défendre les Youdis ?
Si tu veux plus qu'on t'embotte,
Ferm' ta boîte !…

Comme'nous tu sais bien, mon vieux,
Qu'les Youtres sont d'mauvais fieux.
Ta lettre est trop maladroite,
Ferm' ta boîte !…

De l'innocence de ton traître
Tu restes l'seul convaincu !
Au fond t'en rigol's peut-être :
T'as assez vendu !

Ou encore, toujours sur le même thème, cette chanson, interprétée sur l'air de *Cadet Rousselle*, qui dénonce le « syndicat de trahison » :

> Un syndicat de trahison
> Veut tirer Dreyfus de prison,
> Empruntant, pour salir l'armée
> Et baver sur sa renommée,
> La plum' trempée dans l'égout
> D'un être suant le dégoût.
> Ah ! Ah ! Cet oiseau-là,
> Cet oiseau-là, c'est toi, Zola !

Ces chansons ont été provoquées par la publication de « J'accuse » dans *L'Aurore*, en janvier 1898. Mais Zola leur avait déjà répondu, quelques semaines plus tôt, dans un article publié au début de sa campagne dreyfusarde, et intitulé, précisément, « Le Syndicat ». Il analysait la thèse du fameux « syndicat juif » pour en démontrer l'absurdité.

Comment un tel « syndicat » peut-il exister ? s'écriait-il. Ceux qui sont censés en faire partie ne se connaissent pas. Ils possèdent, par ailleurs, une grande réputation d'honnêteté : « Ce qui me tracasse, c'est que, s'il existe un guichet où l'on touche, il n'y ait pas quelques gredins avérés dans le syndicat. Voyons, vous les connaissez bien : comment se fait-il qu'un tel, et celui-ci, et cet autre, n'en soient pas ? L'extraordinaire est même que tous les gens que les juifs ont, dit-on, achetés sont précisément d'une réputation de probité solide. Peut-être ceux-ci y mettent-ils de la coquetterie, ne veulent-ils avoir que de la marchandise rare, en la payant son prix. »

Ce syndicat n'est que le produit d'un fantasme collectif, ajoutait-il, en se tournant vers ses adversaires : « Vous tous qui poussez à cet affreux gâchis, faux patriotes, antisémites braillards, simples exploiteurs vivant de la débâcle publique, c'est vous qui l'avez voulu, qui l'avez fait, ce syndicat ! »

Mais, poursuivant son propos, dans un mouvement de colère porté par une émotion grandissante, Zola finissait par appeler de ses vœux l'existence d'un « syndicat » – d'un autre « syndicat » qui soit un organe de vérité, capable de résister aux mensonges proférés par les « braillards » de la presse antisémite : « Un syndicat pour agir sur l'opinion, pour la guérir de la démence où la presse immonde l'a jetée, pour la ramener à sa fierté, à sa générosité séculaires. Un syndicat pour répéter chaque matin que nos relations diplomatiques ne sont pas en jeu, que l'honneur de l'armée n'est point en cause, que des individualités seules peuvent être compromises. Un syndicat pour démontrer que toute erreur judiciaire est réparable et que s'entêter dans une erreur de ce genre, sous le prétexte qu'un conseil de guerre ne peut se tromper, est la plus monstrueuse des obstinations, la plus effroyable des infaillibilités. Un syndicat pour mener campagne jusqu'à ce que la vérité soit faite, jusqu'à ce que la justice soit rendue, au travers de tous les obstacles, même si des années de lutte sont encore nécessaires. »

Et il terminait par une dernière phrase qui faisait écho, avec une ironie revendiquée, aux accusations qui allaient être portées contre lui. Cette phrase se voulait provocatrice. Par la simplicité de son affirmation, elle rendait dérisoires, avant même qu'elles ne fussent composées, les chansons que devaient colporter, quelques semaines plus tard, les camelots des boulevards : « De ce syndicat, ah ! oui, j'en suis, et j'espère bien que tous les braves gens de France vont en être ! »

9

Édouard Drumont
a-t-il inventé
l'antisémitisme ?

Les mots ont un destin. Ils ne sont pas donnés de toute éternité. Ils surgissent à un moment de l'Histoire afin que l'esprit s'en empare et leur donne un contenu. Ainsi en est-il du mot « antisémitisme » qui s'est installé dans la langue française au commencement des années 1880, d'abord timidement, utilisé en de rares occasions, puis prenant de plus en plus de consistance à la suite de la publication de *La France juive*, en 1886, avant de s'imposer dans le débat public, à partir du début des années 1890, pour désigner toutes les manifestations d'hostilité dirigées contre les juifs.

Pour ses contemporains, Édouard Drumont fut le « pape » de l'antisémitisme. Mais curieusement, il ne s'est pas servi de ce mot pour construire la longue démonstration qui fonde son ouvrage : dans les 1 200 pages de *La France juive*, on ne

le trouve employé que deux fois, sous la forme
« anti-sémitisme » (avec un trait d'union séparant
le préfixe et le radical), et encore est-ce seulement
à l'intérieur de citations. Drumont a répandu l'antisémitisme en France, mais il n'en a pas inventé
le nom.

Au début des années 1880, lorsqu'il apparaît
dans quelques rares articles de journaux, le terme
d'antisémitisme désigne un phénomène encore
inconnu, lié à une réalité étrangère. On peut le
constater en lisant ces quelques lignes extraites du
Bulletin de l'étranger que publie, en page 2, le journal *Le Temps* daté du 26 août 1881 : « L'Alsace
a été préservée jusqu'à présent, dans la presse et
dans la rue, de cette agitation politico-religieuse et
sociale qui portera dans l'histoire le nom barbare
d'antisémitisme. » Cette phrase ne peut manquer
de nous faire réagir, aujourd'hui. L'auteur de cette
remarque semble faire preuve d'une extraordinaire
prescience de l'avenir devant des phénomènes
ponctuels qu'il observe dans une Alsace alors occupée par la Prusse. Mais n'allons pas trop loin. S'il
parle de « nom barbare », ce visionnaire n'imagine
en aucune façon les massacres qui seront perpétrés
par les nazis, au XXᵉ siècle, pendant la Seconde
Guerre mondiale. Il indique seulement que le
mot d'antisémitisme est un « barbarisme », un
vocable encore inconnu dans la langue française,
qu'aucun de ses lecteurs ne pourrait trouver, par
exemple, dans la dernière édition du *Dictionnaire*

d'Émile Littré. Il s'agit, en effet, d'un emprunt à la langue allemande : une reprise quasi littérale du terme « Antisemitismus » né un peu plus tôt sous la plume de Wilhelm Marr, un journaliste auteur d'un violent pamphlet dénonçant l'« emprise du judaïsme » sur la « germanité ».

De fait, en ce début des années 1880, les journalistes qui emploient le mot d'antisémitisme (dans *Le Temps*, *Le Figaro* ou *Le Gaulois*, par exemple) le font à propos d'événements qui se situent à l'extérieur de la France, en Allemagne, en Hongrie ou en Russie. Significative, à cet égard, est la réaction d'Albert Wolff (l'un des principaux chroniqueurs du *Figaro*, à cette époque), lorsque paraît *La France juive*. S'interrogeant sur l'écho que pourrait avoir l'ouvrage, le chroniqueur doute de son succès véritable, car il voit en Drumont un imitateur qui importe des discours venus d'Outre-Rhin : l'Allemagne, écrit-il, est « une terre plus favorable à l'intolérance » que la France ; et il ajoute que « le sol français est ingrat pour ce genre d'exercice » (« Courrier de Paris », *Le Figaro*, 23 avril 1886).

Si le nom « antisémitisme » est encore peu utilisé, la forme adjectivale, en revanche, est largement répandue. Deux adjectifs, d'ailleurs, entrent en concurrence : « antisémite » et « antisémitique ». Le second est même plus employé que le premier. Il connaîtra une fortune importante, avant de s'éteindre progressivement au début du XXe siècle. Il possède une forte connotation politique. Ainsi voit-on apparaître, en 1883, la « Bibliothèque antisémitique » de l'éditeur Albert Savine, ainsi qu'un hebdomadaire intitulé *L'Anti-Sémitique* (dont le sous-titre proclame : « Le Juif, voilà l'ennemi ! »). En septembre 1886, Édouard Drumont et Jacques de Biez fondent un éphémère « Comité antisémitique » ; au printemps de l'année 1889, désireux d'amplifier leur mouvement, ils lancent la « Ligue nationale antisémitique ».

À cette époque, on trouve l'adjectif « antisémitique » employé à plusieurs reprises dans le *Journal* d'Edmond de Goncourt, qui constitue, de ce point de vue, un bon témoin de l'évolution des usages linguistiques. Le 17 mars 1887, Goncourt décrit Drumont, lors d'un dîner, se vantant des « conférences antisémitiques » qu'il donne, et, pour appuyer son propos, il rapporte cette anecdote qui mérite d'être citée, car elle ne manque pas de sel : « Ce sont des ecclésiastiques qui l'ont déterminé à parler en public, en lui disant que le don de la langue lui viendrait avec le Saint-Esprit, et il constate que ce don qu'il croyait ne pas avoir, il le possède et qu'il harangue avec une facilité qui l'étonne. » Le 13 avril 1888, Goncourt parle à nouveau de l'auteur de *La France juive*, qu'il trouve plus « antisémitique » que jamais.

Au moment où l'on bascule dans la décennie des années 1890, l'évolution linguistique se poursuit. Le nom « antisémitisme » devient de plus en plus courant. Il sort du cercle restreint des journalistes attentifs aux nouvelles de l'étranger pour se répandre dans la langue usuelle, à côté de l'adjectif « antisémitique ». C'est encore Edmond de Goncourt qui nous livre la trace de ce changement en évoquant, au cours d'un dîner (le 17 juillet 1890), « Drumont et son copain en antisémitisme, de Biez ».

En 1890, l'« antisémitisme », c'est donc Édouard Drumont. Le mot et la doctrine ont fini par se rejoindre. De quoi s'agit-il, pour un Français de cette époque ? Les contours en demeurent relativement flous dans son esprit. Il perçoit avant tout un discours où domine la haine, faisant des juifs l'objet d'une vindicte générale. Mais il a conscience, néanmoins, des deux composantes majeures qui fondent l'argumentation du pamphlétaire : un antijudaïsme traditionnel, d'essence chrétienne, fondé sur des raisons religieuses ; et un anticapitalisme d'origine socialiste ou anarchiste voyant dans les juifs les banquiers du monde, accaparant toutes les richesses, et responsables de la misère des classes populaires. Cette juxtaposition des arguments constitue la marque de fabrique de Drumont. La dénonciation des tares du capitalisme financier séduit un large public. Elle explique, en grande partie, le succès que ces thèses vont rencontrer au cours des années qui suivront.

Le terme d'« antisémitisme » étant désormais disponible dans la langue française, les années

1892-1896 vont voir s'intensifier les débats autour de l'idée qu'il représente. La première étape est constituée par la fondation de *La Libre Parole*, en avril 1892. Le quotidien lancé par Drumont relaie les thèses de *La France juive*. Ses campagnes de presse agressives lui attirent de nombreux lecteurs. Très vite, il pourra tirer à 200 000 ou même 300 000 exemplaires.

Un adversaire va se dresser contre Drumont. C'est un jeune poète d'origine juive, né à Nîmes en 1865. Il se nomme Bernard Lazare. Esprit laïque, parfaitement intégré dans les milieux intellectuels de l'époque, Lazare poursuit, à côté de sa création littéraire, une œuvre de sociologue qui s'inspire de la pensée anarchiste. En avril 1894, sous le titre *L'Antisémitisme. Son histoire et ses causes*, il livre une réflexion de synthèse sur un phénomène dont il s'est efforcé de rechercher les « causes » : « Je n'approuve pas l'antisémitisme – déclare-t-il dans la préface –, c'est une conception étroite, médiocre et incomplète, mais j'ai tenté de l'expliquer. Il n'était pas né sans causes, j'ai cherché ces causes. » Il ajoute, un peu plus loin, que le mot d'« antisémitisme » lui semble « mal choisi » (il préférerait parler d'« antijudaïsme »), mais il s'accommode d'un terme désormais entré dans le débat contemporain, et qu'il a retenu pour former le titre de son ouvrage. Lazare voit dans les particularités de la religion juive la principale raison de l'hostilité que les juifs ont dû subir depuis l'Antiquité, et il conclut son analyse historique en se montrant confiant dans une disparition prochaine de l'anti-sémitisme : le phénomène s'éteindra, explique-t-il, « parce qu'il est une des manifestations persistantes et dernières du vieil esprit de réaction et d'étroit conservatisme qui essaie vainement d'arrêter l'évolution révolutionnaire ».

Ce qu'il faut souligner, c'est le courage dont fait preuve Bernard Lazare en affrontant, seul, le porte-parole de l'antisémitisme, qu'entourent des bandes de nervis prêts à en découdre pour assurer par la force la victoire de leurs idées. Drumont, cependant, ne repousse pas les objections qui lui sont opposées. Il sait qu'il peut trouver un certain bénéfice dans la polémique qui s'engage. Qu'il ait un adversaire déterminé convient assez bien au directeur de *La Libre Parole*, dont l'esprit s'exalte dès qu'une occasion de ferrailler se présente à lui.

Quelque temps plus tard, un événement singulier va les mettre face à face. Son contenu peut sembler incroyable, aujourd'hui. Il s'agit d'un concours que la rédaction de *La Libre Parole* avait décidé d'organiser autour d'une question, imaginée sur le modèle des joutes philosophiques que lançaient les Académies du XVIIIe siècle : « Les moyens pratiques d'arriver à l'anéantissement de la Puissance juive en France, le danger Juif étant considéré au point de vue de la race et non au point de vue religieux. » Ouvert le 29 octobre 1895, le concours fut clos le 31 mai 1896. Un jury fut constitué, chargé de départager les 145 concurrents qui avaient envoyé un mémoire pour traiter du problème posé. Il se composait d'une quinzaine de personnalités, des journalistes et des parlementaires, pour l'essentiel, dont Maurice Barrès, qui en représentait la figure la plus éminente. Bernard Lazare demanda à en faire partie. Geste de défi ? Volonté de provocation ? Refusant de laisser le champ libre à ses contradicteurs, il souhaitait pénétrer de l'intérieur le monde de l'antisémitisme pour en faire éclater les contradictions. On lui accorda cette possibilité. Mais ses relations avec le directeur de *La Libre Parole* s'envenimèrent rapidement et il fut bientôt exclu du jury. Drumont dénonça la duplicité de son adversaire, lui reprochant des articles qu'il faisait paraître au même moment dans *Le Voltaire*, où il racontait le combat dans lequel il s'était engagé. La querelle se termina par un duel au pistolet, qui se déroula le 18 juin 1896 : deux balles furent échangées, sans qu'aucun des protagonistes ne fût atteint. Quant au concours de *La Libre Parole*, dont Bernard Lazare avait été chassé, ses résultats furent proclamés quelque temps plus tard, au début du mois de novembre. Deux prêtres obtinrent les premiers prix, attribués *ex æquo* : l'abbé Augustin Jacquet, et Mgr Anselme Tilloy, un ancien prélat romain. Ces dignes ecclésiastiques préconisaient, l'un et l'autre, des solutions d'exclusion : priver les juifs de leurs droits civiques et rompre toute relation avec eux.

Pour Bernard Lazare, les choses étaient claires désormais. Avec Drumont aucun dialogue n'était possible. Ce qu'il fallait, c'était le combattre sans aucun ménagement. Durcissant ses positions, revenant sur la vision trop accommodante qu'il avait proposée dans son ouvrage de 1894, il réunit en brochure les articles qu'il venait de publier dans *Le Voltaire*, en choisissant un titre qui montrait, cette fois, toute sa détermination : *Contre l'antisémitisme*.

Au même moment, un article publié en première page du *Figaro*, le 16 mai 1896, faisait écho à la campagne courageuse menée par Bernard Lazare dans *Le Voltaire*. Son titre, qui se voulait provocateur et visait directement Drumont, s'étalait sur trois colonnes : « Pour les Juifs ». L'auteur en était Émile Zola. En entrant avec autant de vigueur dans le débat public, Zola anticipait sur le geste qui allait être le sien un an et demi plus tard avec son « J'accuse ». Dès les premières lignes, il disait l'horreur que lui inspirait le développement des thèses antisémites : « Cela m'a l'air d'une monstruosité, j'entends une chose en dehors de tout bon sens, de toute vérité et de toute justice, une chose sotte et aveugle qui nous ramènerait à des siècles en arrière, une chose enfin qui aboutirait à la pire des abominations, une persécution religieuse, ensanglantant toutes les patries. » Et après avoir dénoncé l'« amas d'erreurs, de mensonges, de furieuse envie, de démence exagérée » que véhiculait le discours hostile aux juifs, il plaidait, en conclusion, pour une humanité pacifiée, ayant surmonté ses divisions religieuses : « Désarmons nos haines, aimons-nous dans nos villes, aimons-nous par-dessus les frontières, travaillons à fondre les races en une seule famille, enfin heureuse ! Et mettons qu'il faudra des mille ans, mais croyons quand même à la réalisation finale de l'amour, pour commencer du moins à nous aimer aujourd'hui autant que la misère des temps actuels nous le permettra. »

De la naissance de *La Libre Parole* aux interventions de Bernard Lazare et d'Émile Zola, les années 1892-1896 ont placé la question de l'antisémitisme au cœur du débat intellectuel. Elles constituent un prologue à la grande bataille idéologique que déclenchera l'affaire Dreyfus lorsqu'elle embrasera l'opinion publique à partir de novembre 1897. Elles ont préparé les esprits les plus lucides à cette prise de conscience que le déroulement des événements leur apportera : l'antisémitisme n'est pas une opinion comme les autres, dont il est permis de discuter le contenu en toute bonne foi. Si elle n'a pas extirpé les racines du mal, la crise dreyfusiste aura eu, au moins, le mérite de mettre un terme à une période caractérisée par une certaine forme d'innocence idéologique.

10

Alfred Dreyfus
était-il en « villégiature »
à l'île du Diable ?

C'est une carte postale antisémite datant de 1895. Elle prétend évoquer de quelle façon se déroule la détention d'Alfred Dreyfus à l'île du Diable. Le décor montre, au loin, une case ombragée, qu'entoure une palissade. Au centre du dessin, un personnage vêtu avec élégance, confortablement assis dans un fauteuil, fume un cigare, à côté d'une table chargée de victuailles. Un commentaire précise : « En villégiature à l'île du Diable. » Cette vision imaginaire fait écho aux campagnes que conduit *La Libre Parole* à cette époque, faisant de Dreyfus emprisonné un « richard en villégiature », comme l'écrit Gaston Méry, le 9 octobre 1895. En 1931, elle se retrouvera encore, sous la plume de Georges Bernanos, dans *La Grande Peur des bien-pensants* (un ouvrage inspiré par la pensée de Drumont, à qui est rendu un continuel hommage) : l'île du Diable y est qualifiée de « villégiature monotone mais confortable », où le condamné avait la possibilité, pour ses repas, de « faire préparer ses menus »…

La légende répandue par *La Libre Parole* n'a rien à voir, évidemment, avec la réalité. Alfred Dreyfus a vécu en déportation à l'île du Diable pendant plus de quatre années, entre avril 1895 et juin 1899. Le lieu qui avait été choisi pour son internement était, au large de la Guyane, l'une des trois îles du Salut, la plus inhospitalière, un territoire insalubre qui avait jadis abrité une léproserie. Gardé en permanence par plusieurs gardiens qui se relayaient à ses côtés, ayant interdiction de leur adresser la moindre parole, Alfred Dreyfus fut soumis aux contraintes d'un règlement pénitentiaire qui lui fut appliqué de la façon la plus rigoureuse : quelques promenades dans la journée, sur un espace restreint, et l'enfermement, la nuit, dans une case étouffante, recouverte de tôle ondulée, et dont le sol était infesté de fourmis et d'araignées géantes. Comme nourriture, la pitance ordinaire que l'on réservait aux prisonniers : du pain, des légumes secs et quelques rares morceaux de viande, le plus souvent immangeables. En septembre 1896, à la suite de rumeurs faisant état d'un complot visant à le faire évader, ses conditions de détention s'aggravèrent soudainement. Les promenades furent supprimées ; sa case fut entourée d'une palissade élevée empêchant toute vue sur la mer ; et, la nuit, il était attaché sur son lit, soumis au régime de la « double boucle », les pieds enserrés dans des anneaux de fer, interdisant tout mouvement et lui déchirant les chairs. Deux mois d'un terrible supplice, avant qu'il ne pût retrouver des conditions d'existence plus acceptables ! En dépit des fièvres et des dysenteries qui le tourmentaient régulièrement, il sut résister, cependant, à cet enfer tropical que représentait la déportation en Guyane. De France, il put recevoir, par moments, des colis que sa famille lui adressait : il disposa ainsi de quelques livres ou revues qui lui permirent de lire, d'écrire, et surtout de lutter contre la folie qui le menaçait, au milieu des souffrances quotidiennes et du silence absolu dans lequel il était emmuré.

Pour les dreyfusards qui s'efforçaient d'obtenir la révision de son procès, il était difficile de parler avec précision du prisonnier de l'île du Diable. En dépit des lettres qu'il faisait parvenir à sa femme, Lucie (et dont une partie furent publiées, en 1898, sous le titre de *Lettres d'un innocent*), on ignorait, d'une manière générale, quel était son sort véritable. Il demeurait une victime abstraite. Analysant cette situation dans un article de *L'Aurore*, le 26 août 1898, Clemenceau voyait en Dreyfus le produit d'« une fatalité terrible, comme Œdipe au chemin marqué par le destin » ; il le comparait à un ouvrier d'usine « saisi par un volant et broyé par le monstre de fer avant que les spectateurs aient pu faire autre chose que de pousser un cri d'épouvante » ; mais il ne le mettait pas au premier plan de ses préoccupations, car, ajoutait-il, le lieutenant-colonel Picquart devait être considéré comme la « vraie victime » de toute cette machination : « Il a délibérément sacrifié son avenir, sa liberté, sa vie pour réparer l'erreur des uns, le crime des autres. »

Comment percevoir Dreyfus alors ? Comme une malheureuse victime dont la personnalité ne présentait guère d'intérêt ? C'est ce que pensèrent certains de ses soutiens lorsque, au mois d'août 1899, ils virent apparaître, au procès de Rennes, face à ses juges, un être décharné, épuisé par ses années de détention, flottant dans un uniforme trop large pour ses épaules, et paraissant ne pas comprendre la situation dans laquelle il se trouvait. Déçu, comme tant d'autres, Charles Péguy eut, plus tard, ce mot cruel (dans *Notre jeunesse*, en 1910) : « Nous fussions morts pour Dreyfus. Dreyfus n'est point mort pour Dreyfus. » Dans ses *Souvenirs sur l'Affaire* (en 1935), Léon Blum fit preuve d'une aussi grande sévérité. Alfred Dreyfus, écrit-il, était un homme « modeste », animé d'un « inébranlable courage », un soldat respectueux de l'autorité de ses chefs. Et il ajoutait, faisant écho à la parole de Péguy : « Il n'avait nulle affinité avec son "affaire", nulle vocation pour le rôle dont le chargeait un caprice de l'Histoire. S'il n'avait pas été Dreyfus, aurait-il même été "dreyfusard" ? »

Faut-il donc raconter l'histoire de l'affaire Dreyfus en insistant sur le combat intellectuel et politique qui s'est déroulé au cœur des institutions républicaines, mais en laissant de côté l'interné de l'île du Diable ? C'est ce qu'a laissé entendre Marcel Thomas, auteur, en 1961, d'un grand ouvrage de synthèse qu'il a choisi d'intituler *L'Affaire sans Dreyfus*. Mais la perspective s'est progressivement modifiée au cours des années qui ont suivi. Le témoignage émouvant livré par Alfred Dreyfus, en 1901, sous le titre de *Cinq années de ma vie* (le récit de ses années de déportation à l'île du Diable), a été réédité en 1982, avec une longue introduction de Pierre Vidal-Naquet, que suivait une postface de Jean-Louis Lévy (le petit-fils d'Alfred Dreyfus). Puis la correspondance échangée entre Alfred Dreyfus et sa femme, Lucie, a bénéficié, en 2005, d'une remarquable édition établie par Vincent Duclert, avec une préface de Michelle Perrot (« *Écris-moi souvent, écris-moi longuement…* ». *Correspondance de l'île du Diable*). Il fallait enfin une grande biographie qui puisse rendre compte du destin exceptionnel de cet homme dont la vie a basculé, un jour d'octobre 1894, lorsqu'on l'a convoqué au ministère de la Guerre, pour une simple « inspection » qui semblait s'inscrire dans la routine de la vie militaire. Elle a vu le jour grâce à l'ouvrage de Vincent Duclert, publié chez Fayard en 2006 : *Alfred Dreyfus. L'honneur d'un patriote*. Plus récemment, en 2015, Élisabeth Weissman s'est efforcée de tracer le portrait de l'épouse du condamné dans *Lucie Dreyfus. La femme du capitaine*. Mentionnons encore l'édition par Philippe Oriol, en 1998, des *Carnets* d'Alfred Dreyfus (qui couvrent la période 1899-1907), et la publication, en 2009, des *Cahiers de l'île du Diable*, une série de notes manuscrites que conservait la Bibliothèque nationale de France.

Il est possible désormais de savoir qui était Alfred Dreyfus. Il suffit de lire les textes qu'il nous a laissés. L'intérêt qu'ils suscitent provient de la richesse du témoignage qui s'offre au lecteur. Le récit de *Cinq années de ma vie* est précédé par une dédicace qu'Alfred Dreyfus a rédigée à l'intention de ses deux enfants, Pierre et Jeanne : ces pages, leur dit-il, leur apprendront quelles ont été ces années au cours desquelles il a été « retranché du monde des vivants ». Au centre de l'ouvrage, le journal rédigé à l'île du Diable permet de ressentir, d'une manière directe, l'écoulement du temps, le désespoir continuel, l'accumulation gratuite d'humiliations et de souffrances imposées par une administration pénitentiaire aveugle. Complétant cette évocation, les *Cahiers de l'île du Diable* montrent de quelle façon le déporté a su résister sur le plan intellectuel. Ils témoignent d'une culture encyclopédique qui force l'admiration, pour qui les parcourt aujourd'hui. Les notes de lecture qu'ils contiennent portent, en effet, sur les questions les plus diverses, où la littérature, la philosophie, l'histoire, la biologie ou la physique sont tour à tour convoquées. De multiples références sont faites aux penseurs contemporains, à Renan, à Taine ou à Nietzsche, par exemple. Constamment relue, l'œuvre de Shakespeare revient à de nombreuses reprises, tandis que de longs passages des *Essais* de Montaigne sont recopiés. Des vers de Virgile et de Lucrèce reviennent à la mémoire du prisonnier, qu'il cite en latin. Certains feuillets sont recouverts de longues séries d'équations qu'il tente de résoudre, en souvenir de ses cours de l'École polytechnique. Et partout des dessins de toutes sortes, figures géométriques ou formes imaginaires. Des dessins pour retrouver le monde, pour faire surgir la réalité, pour crever les murs du silence.

Quant à la correspondance échangée avec Lucie, elle s'efforce de construire un dialogue impossible, en jouant avec les contraintes de la censure (car toutes les lettres sont lues, avant d'être communiquées, certaines sont expurgées, et d'autres ne parviennent que sous la forme de copies). Chacun répète à l'autre la force de son amour. La réalité de la situation doit être dissimulée. Aucune information importante ne peut être transmise. Lucie se trouve dans l'impossibilité d'expliquer à son mari les démarches qu'elle poursuit pour faire réviser son procès. Mais une règle morale a été posée. Elle constitue le fil directeur de toutes ces lettres. C'est Lucie qui l'a formulée, au début de ce long calvaire qu'ils vont endurer : vivre, ne pas céder au désespoir, repousser la tentation de la mort et du néant. Elle lui écrit, le 27 janvier 1895 : « Il faut que nous vivions tous deux, il faut que nous arrivions à ta réhabilitation, il faut que la lumière soit éclatante. » Et plus loin, encore : « Il faut espérer, et beaucoup espérer. Nos efforts seront couronnés de succès et nous n'aurons pas le droit de douter de l'avenir. » Il l'écoutera. Il respectera la consigne qu'elle lui a donnée. Il survivra.

Aujourd'hui, Alfred Dreyfus n'est plus un inconnu. Il a cessé d'être le déporté fantôme de l'île du Diable, aux souffrances indistinctes. Son journal et sa correspondance composent un témoignage unique, d'une profonde sensibilité. Ils nous le rendent proche de nous, plus d'un siècle après les événements.

Ces souvenirs sont complétés par un document exceptionnel : un enregistrement sonore réalisé dans un laboratoire de la Sorbonne, le 27 mars 1912, à l'instigation du linguiste Ferdinand Brunot. Ce jour-là, Alfred Dreyfus lut, pendant un peu plus de deux minutes, un texte dont il était l'auteur. Il y évoquait la cérémonie du 20 juillet 1906, au cours de laquelle il avait été décoré de la Légion d'honneur, après avoir été réhabilité, quelques jours plus tôt, par la Cour de cassation.

En dépit de quelques grésillements produits par les sillons du disque, la voix est parfaitement audible[1]. Le ton est ferme. L'élocution possède cette emphase particulière qui caractérise les enregistrements datant de cette époque. L'ancien condamné de l'île du Diable s'efforce de tirer la leçon du long combat qui s'achève enfin, au moment où la République lui rend un hommage solennel. Évoquant tous ceux qui l'ont soutenu, il tourne vers eux ses pensées : « Ils ne luttèrent pas seulement pour une cause particulière, mais ils contribuèrent, pour une large part, à l'une des œuvres de relèvement les plus extraordinaires dont le monde ait été témoin, une de ces œuvres qui retentissent jusque dans l'avenir le plus lointain, parce qu'elle aura marqué un tournant dans l'histoire de l'humanité, une étape grandiose vers une ère de progrès immense pour les idées de liberté, de justice et de solidarité sociale. »

---

1. On peut l'écouter aujourd'hui sur le site de Gallica, dans la série des « Archives de la parole ».

11

Esterhazy
a-t-il été aidé
par une « dame voilée » ?

Lorsqu'elle le vit apparaître, rue du Cherche-Midi, le 11 janvier 1898, après l'audience du conseil de guerre qui venait de prononcer son acquittement, la foule l'accueillit aux cris de « Vive l'armée ! À bas les Juifs ! ». Ainsi apparaissait, dans toute sa gloire, le commandant Ferdinand Walsin-Esterhazy, le *traître* de cette histoire. Personne plus que lui n'a mérité un tel qualificatif. Traître, il l'a été du début jusqu'à la fin. Il en avait l'allure : un visage blafard, barré par de gigantesques moustaches ; des yeux noirs inquiétants, enfoncés dans leurs orbites ; un long corps maigre, agité de gestes fiévreux. Vivant d'expédients, poussé à bout par des dettes qui s'accumulaient autour de lui, il a cru se tirer d'affaire en vendant quelques renseignements militaires à l'ambassade d'Allemagne. C'était un escroc de petite envergure. Mais il possédait un talent qu'il faut bien lui reconnaître, celui d'un cynisme à toute épreuve qu'alimentait un goût irrépressible pour la provocation et l'invention rocambolesque. Il avait tous les talents d'un « séducteur », écrit Joseph Reinach en dressant son portrait : « Même quand il aura croulé dans la crapule et dans le crime, sa parole brûlante, sa mimique endiablée, une intensité merveilleuse de vie, la frénésie communicative de cet étonnant comédien continueront à fasciner. »

De toutes les fables qui ont accompagné le parcours aventureux d'Esterhazy, celle de la « dame voilée » est la plus célèbre. Elle a surgi à la fin de l'année 1897. À l'origine se trouve la décision qui est prise par les responsables de l'État-major, au mois d'octobre 1897, lorsque se précisent les intentions de Scheurer-Kestner, de plus en plus décidé à faire la lumière : avertir Esterhazy des menaces qui pèsent sur lui, pour empêcher qu'un scandale n'éclate et ne remette en question le jugement rendu en 1894. À cette décision incroyable Joseph Reinach a donné le nom de « collusion », dans son *Histoire de l'affaire Dreyfus*. Car il s'agit bien de cela, d'une entente secrète, d'un complot niché au cœur de l'institution militaire. Les grands chefs, Boisdeffre, le chef d'État-major, et Billot, le ministre de la Guerre, ferment les yeux, ne veulent rien savoir. Le donneur d'ordre est le général Gonse, l'adjoint de Boisdeffre ; l'exécuteur des basses œuvres est le lieutenant-colonel Henry, aidé par le naïf Du Paty de Clam qui croit défendre l'honneur de l'armée, alors qu'il est manipulé par son compère. Faut-il convoquer Esterhazy au ministère de la Guerre, pour le mettre au courant ? C'est la question que pose d'abord Du Paty, en toute bonne foi. Surtout pas, lui répond-on. Il faut agir par des moyens détournés, une lettre anonyme ou un rendez-vous donné avec la plus grande discrétion...

Ainsi se met en place un étonnant scénario. Le 19 octobre, Esterhazy reçoit une étrange missive, envoyée par une « amie dévouée » qui se désigne sous le nom d'« Espérance ». Il apprend qu'il va bientôt « être l'objet d'un grand scandale », car la « famille Dreffus » (ici, une faute d'orthographe qui fait partie des curiosités offertes par ce document) s'apprête à le dénoncer ; un certain « M. Picart » (nouvelle faute d'orthographe, pour faire bonne mesure) lui a remis des papiers dont elle va se servir contre lui. Affolement d'Esterhazy qui se voit démasqué et ne sait comment réagir, en dépit de l'« espoir » que sa bienfaitrice tente de lui communiquer ! Pour le rassurer et mieux le contrôler, Henry et Du Paty décident d'aller plus loin. Quelques jours plus tard, ils montent une entrevue secrète qui aura pour cadre le parc Montsouris. Esterhazy y rencontre un Du Paty affublé d'une barbe noire, les yeux dissimulés derrière des lunettes bleues, accompagné de l'archiviste Gribelin, lui aussi porteur de lunettes teintées, tandis que Henry, caché non loin de là, attend avec impatience le résultat de ces étranges conciliabules.

Le procédé se révèle efficace. La collusion produit les effets escomptés. Désormais, Esterhazy se sait protégé. Il entre alors, sans hésiter, dans le rôle qu'on lui a assigné. Se prétendant victime d'un ignoble complot, il déploie la plus grande audace. Il demande à être reçu par les responsables de l'État-major afin de proclamer son innocence et de dénoncer les agissements de ses ennemis. Il s'adresse à Boisdeffre et à Billot. Poussé par Henry, il écrit trois lettres successives au président de la République pour implorer son aide. Il mentionne celle qui lui a porté secours, en parlant de la « femme généreuse » qui l'a averti de l'« horrible complot » monté contre lui, « avec l'aide du Colonel Picquart ».

Qui est-elle, cette généreuse informatrice ? Nul ne le sait. Le visage d'« Espérance » doit rester dissimulé. Ainsi surgit le personnage de la « dame voilée[1] ». Agrégeant les éléments d'une fiction qui s'est construite au fil des jours, le mythe va bientôt se répandre dans la presse. Il commence à circuler, à partir du 16 novembre 1897, lorsque le nom du véritable coupable est divulgué par Mathieu Dreyfus dans une lettre rendue publique. Mis en

---

1. Dont le visage est dissimulé par une voilette.

cause, Esterhazy se défend alors avec énergie, en donnant des interviews à plusieurs journaux. Et il leur sert avec impudence son histoire de « dame voilée » qu'il a rencontrée à plusieurs reprises, en différents lieux de Paris, porteuse d'une pièce secrète issue des bureaux de l'État-major et démontrant son innocence. Pourquoi agirait-elle ainsi en sa faveur ? Esterhazy laisse entendre qu'il s'agirait d'une maîtresse de Picquart ayant à sa disposition des documents possédés par ce dernier et qui, par dépit amoureux, a trahi son ancien amant.

Un récit invraisemblable. Et pourtant il possède un certain pouvoir de conviction parce qu'il a l'habileté d'impliquer le lieutenant-colonel Picquart, en disqualifiant son action. Picquart ne serait donc qu'un agent du « syndicat juif », dont le projet est de faire libérer Dreyfus ? C'est ce que pense le général de Pellieux, chargé, à partir du 17 novembre, de mener une enquête d'abord administrative, puis judiciaire. Aussi Esterhazy peut-il lui offrir le récit détaillé de ses entrevues avec la dame voilée, en trouvant en lui un interlocuteur bienveillant. Le 24 novembre, lors de sa déposition, il lui raconte qu'un premier rendez-vous lui a été donné esplanade des Invalides, puis qu'une seconde rencontre s'est déroulée à Montmartre, près de l'église du Sacré-Cœur. Il lui rapporte longuement les propos qui lui ont été tenus, en évoquant l'« enveloppe » qui lui aurait été remise, contenant la pièce secrète chargée de le disculper. Les mêmes informations sont reprises quelques jours plus tard devant le commandant Ravary (à qui l'on a demandé de compléter l'enquête conduite par Pellieux). Des détails sont ajoutés. On apprend que le premier rendez-vous s'est tenu « derrière la palissade du pont Alexandre III, du côté des Invalides ». La scène de rencontre avec la mystérieuse informatrice est dessinée avec plus de précision : « Il était environ 11 heures ou 11 heures et demie du soir, cette femme était dans un fiacre de "l'Urbaine" de grande remise, la figure peu visible. Elle m'a paru brune, de 30 à 33 ans, les allures distinguées, et, pour moi, doit appartenir au monde diplomatique. »

Soigneusement transcrits dans les procès-verbaux des enquêtes dirigées par Pelllieux et Ravary, ces racontars entraîneront l'adhésion des juges du conseil de guerre qui acquittera Esterhazy, le 11 janvier 1898. Mais ils vont bientôt se désagréger. Dans son « J'accuse », Zola ironise sur la « dame mystérieuse » qui s'est « dérangée de nuit » pour remettre à Esterhazy « une pièce volée à l'état-major ». Lors du procès qui suit, au mois de février, on cherche à savoir, dès les premières audiences, quelle est l'identité de la troublante messagère. Fernand Labori, l'avocat de Zola, revient à la charge avec insistance. Lors de son intervention, le 12 février, Jaurès s'indigne de ce qu'aucune enquête sérieuse n'ait été conduite à ce sujet. Quant à Esterhazy, il se dérobe, en refusant obstinément de répondre aux questions qui lui sont posées. Il se garde bien d'évoquer l'esplanade des Invalides ou l'église du Sacré-Cœur. Le mythe de la dame voilée a fait long feu.

Sans valeur sur le plan juridique, il va nourrir désormais l'imaginaire de l'affaire Dreyfus. Les caricaturistes s'en emparent. Un dessin antidreyfusard fait, par exemple, de la dame voilée un personnage enfermé dans un puits, incapable de dénoncer les agissements du « syndicat juif » occupé à faire libérer le prisonnier de l'île du Diable. D'une orientation opposée, une version beaucoup plus distrayante est offerte par une série de quatre cartes postales imprimées en Allemagne (car l'histoire a vite franchi les frontières). Sur ces différentes images qui s'enchaînent comme les phases d'un sketch comique, on suit la progression d'une femme voilée, élégamment vêtue, dont les habits dissimulent mal un personnage d'officier conspirateur (les pieds sont chaussés de bottes et le fourreau d'une épée dépasse de l'extrémité de la robe) : elle se rend à son « rendez-vous », salue un soldat, monte dans un fiacre, avant d'abandonner, une fois sa mission accomplie, son vêtement d'emprunt…

On retrouve le personnage de la dame voilée dans un jeu de l'oie d'inspiration dreyfusarde, intitulé « Jeu de l'Affaire Dreyfus et de la Vérité », qui fut mis en vente au mois de novembre 1898. Les différents acteurs de l'Affaire sont répartis autour de la longue spirale circulaire que forment les soixante-trois cases du jeu : Scheurer-Kestner à la case 4, Zola à la case 7, Esterhazy à la case 28, Labori à la case 33, Picquart à la case 48, etc. Le parcours est scandé par des chausse-trapes correspondant aux lieux où se sont déroulés les principaux événements : le « Ministère de la Guerre », la « Prison du Cherche-Midi » ou le « Mont-Valérien » (où Picquart et Henry furent détenus) constituent autant d'obstacles qui ralentissent la progression du joueur. Les « Palissades du Pont des Invalides », lieu des fameux rendez-vous occultes, se présentent dès la case 6. Périlleuse entre toutes, la case n° 58, celle de la « Mort de la Dame voilée » – effrayante tête de mort dissimulée sous une voilette – impose à celui qui l'atteint par malheur de revenir en arrière et de tout recommencer ! La figure traditionnelle de l'oie, qui favorise le joueur, a cédé la place à une allégorie féminine de la Vérité, représentée dans différentes attitudes, tantôt debout à côté du puits, tantôt assise sur la margelle, écartant les bras ou déployant sa chevelure. À la dame voilée, symbole de toutes les fourberies, s'oppose l'image de la Vérité, représentée sous les traits d'une lumineuse jeune femme, dépouillée du voile de l'erreur et annonciatrice d'un heureux dénouement.

Mais c'est à travers deux étonnants romans-feuilletons que le personnage de la dame voilée a donné toute sa mesure. Ils ont pour auteur un certain Victor von Falk[2], un écrivain spécialisé dans l'écriture de romans populaires. Publiés d'abord en allemand, puis traduits en français, leur parution s'est échelonnée entre 1902 et 1906. Le premier s'intitule : *Alfred Dreyfus ou le Martyr de l'île du Diable*. Le titre du second, à rallonge, place explicitement le thème de la dame voilée au centre du drame de l'affaire Dreyfus : *Zola et Picquart. Les champions de la vérité et de la justice et le Secret de la dame voilée ou la Fin des sinistres épreuves du capitaine Dreyfus*. Proposé sous la forme de 130 livraisons hebdomadaires, le premier roman fait 4 160 pages. Le second (qui se présente comme une « suite » du précédent) est plus court : 2 400 pages seulement, réparties en 75 livraisons hebdomadaires.

De quoi s'agit-il ? Ces récits utilisent toutes les techniques du roman-feuilleton telles qu'elles ont été développées par la littérature du XIXᵉ siècle. On reconnaît, en les lisant, des épisodes qui sont inspirés des *Misérables* de Victor Hugo, des textes d'Alexandre Dumas, ou encore des récits de Jules Verne (car les personnages se déplacent et voyagent beaucoup). Les deux romans partent du

---

2. Pseudonyme de Hans Heinrich Sochaczewsky (1861-1922).

schéma de l'affaire Dreyfus : Alfred Dreyfus, soutenu par sa valeureuse épouse, Lucie, est aidé par
Zola et par Picquart, décrits comme des chevaliers
du droit, lancés à la recherche de la vérité ; et en
face d'eux se dresse le traître, auteur des pires
machinations – portant le nom d'Esterhazy dans
le premier roman, transformé en Racokzy dans le
second. Sur ce scénario sont greffés les épisodes
les plus rocambolesques, faisant intervenir de multiples personnages, étrangers à la réalité de l'affaire
Dreyfus. Les deux œuvres brassent une matière
comparable. Leurs dénouements sont quasiment
identiques. Dans les dernières pages, on assiste
à la victoire d'Alfred Dreyfus et de sa femme,
entourés de leurs amis (Zola et Picquart), pendant
que le traître meurt brutalement, foudroyé par la
justice divine.

Comment ces romans ont-ils été rendus possibles ? Pourquoi le public les a-t-il accueillis
favorablement, alors que, de toute évidence, ils
ne respectaient pas la vérité historique ? À cause
du mythe de la dame voilée. Rompant avec l'uni-
formité des personnages masculins qui structurent
la progression de l'Affaire, ce mythe permettait
la création de figures féminines – victimes éplo-
rées ou espionnes maléfiques – dignes de capter
l'attention. Les lecteurs trouvaient dans ces récits
la réponse à leurs interrogations. Ils savaient bien
qu'au bout du compte, aucune révélation déterminante ne leur serait apportée, mais ils acceptaient

avec plaisir le contrat qui leur était offert. Comme le déclare l'avant-propos du premier roman, ils pouvaient associer l'« éloquence de la réalité » aux « charmes de la fiction la plus riche et la plus colorée ». Le second roman voulait donner une note plus intense encore : « Tour à tour – explique l'avant-propos –, von Falk nous attendrit, nous fait pleurer, nous indigne, nous remplit d'enthousiasme, nous étreint le cœur, nous glace le sang dans les veines. Les nobles caractères abondent dans ce nouvel ouvrage ; mais les scélérats sont aussi vivants, aussi magistralement campés que les héros. » Aux lecteurs impatients de tout connaître, le mythe de la dame voilée fournissait un passeport pour les territoires de l'imaginaire, en ouvrant la porte des fantasmes.

À la différence du personnage de traître mis en scène dans les romans de Victor von Falk, Esterhazy n'a pas été brutalement foudroyé par la justice divine. Il a fini ses jours en Angleterre, où il s'était réfugié en septembre 1898, après le suicide d'Henry, ayant compris que ses talents d'imposteur ne suffiraient plus à le protéger durablement. Vivotant grâce à différents travaux de journalisme (au début, il fut le correspondant londonien de *La Libre Parole*, sous le pseudonyme de Patrick Sullivan), aidé parfois par quelques amis fortunés qui surent le tirer d'affaire lorsque la misère se faisait trop pressante, il parvint à subsister tant bien que mal, en dissimulant son identité sous des noms d'emprunt : il se fit d'abord appeler « M. Fitzgerald » et, par la suite, « comte Jean de Voilemont ». Il vécut la dernière partie de son existence dans la paisible localité d'Harpenden, située à une trentaine de kilomètres au nord de Londres. C'est là qu'il mourut, en 1923. Dans le petit cimetière paroissial d'Harpenden l'inscription qui est gravée sur sa tombe le résume tout entier. Elle a été réalisée à partir des instructions qu'il avait laissées à celle qui était alors sa compagne. En voici le texte : « IN LOVING MEMORY COUNT DE VOILEMONT. 1849-1923. *He has outsoared the shadow of our night.* » La date de naissance inexacte (Esterhazy est né en 1847) renforce le mystère qui entoure cette pierre tombale. Le vers de Shelley qui figure sur cette épitaphe (« Il a pris son envol, lui qui fut l'ombre de notre nuit ») retrace, en un raccourci énigmatique, la destinée ténébreuse de l'auteur du bordereau. Quant au nom de « comte de Voilemont » sous lequel Esterhazy se dissimulait lorsqu'il vivait à Harpenden, il renvoie – par un ultime défi en face de l'Éternel – au mythe de la dame voilée qui avait fait la célébrité de son inventeur. Dans « Voilemont », en effet, ne faut-il pas entendre : *mon voile ?*

12

L'affaire Dreyfus a-t-elle été vécue comme un roman-feuilleton ?

« On ne parlait plus que de l'Affaire. Elle occupait tous les esprits. Deux ans durant, les livres, les romans même, furent délaissés. Quel roman comparable à celui que chacun vit au jour le jour ! On ne lisait plus que les journaux. Ils s'élevèrent, dans les deux camps, à des tirages qu'on n'avait pas encore connus. » Une réalité plus intense que toutes les fictions inventées par les romanciers eux-mêmes ! C'est le souvenir que Joseph Reinach conserve des grands moments d'une époque dont il a été le témoin attentif. Le correspondant de la *Pall Mall Gazette* de Londres fait une remarque comparable, le 5 février 1898 : « L'effet désastreux que l'affaire Dreyfus et ses nombreux développements exercent en ce moment sur le commerce du livre est une question, me semble-t-il, qui a jusqu'à maintenant échappé à l'attention de la plupart des gens. Mais partout où j'ai enquêté parmi les gens de lettres et les libraires, on m'a presque invariablement répondu la même chose – à savoir que depuis que les gens ont commencé à suivre tous les jours l'affaire Esterhazy-Dreyfus-Zola il y a eu une chute régulière, non seulement de la vente des ouvrages généraux, mais de la vente des romans de la plupart des romanciers français assez malchanceux pour publier à ce moment-là. »

Pour se développer et attirer vers elle un public fidèle, la presse du XIXᵉ siècle a inventé la forme du roman-feuilleton, en plaçant au bas de ses pages (dans ce qu'on appelait le « rez-de-chaussée ») de longs récits dramatiques qui se poursuivaient de numéro en numéro, et dont les lecteurs pouvaient découper les épisodes pour en conserver la série. Dans l'affaire Dreyfus, elle a trouvé, avec une actualité faite de rebondissements incessants, un immense roman-feuilleton produit par la réalité elle-même. La fiction sortait subitement des « rez-de-chaussée » où elle se trouvait jusque-là cantonnée. Elle envahissait toutes les colonnes. Il suffisait, par exemple, de citer les propos extravagants d'Esterhazy ou de rapporter les débats passionnés auxquels ont donné lieu les audiences du procès d'Émile Zola, en février 1898.

L'intérêt dramatique de l'Affaire a été constamment renouvelé non seulement par les interventions des hommes qui ont pris successivement la défense du condamné, surgissant chaque fois comme autant d'acteurs nouveaux (Bernard Lazare, Scheurer-Kestner, Zola, Clemenceau, Picquart ou Jaurès), mais aussi par des retournements de situation qui paraissaient directement empruntés aux procédés de la fiction. « On dirait qu'un prodigieux metteur en scène a réglé le développement, les retards, les coups de théâtre de l'affaire Dreyfus », remarque Zola dans ses notes personnelles. Que l'on en juge par cette simple énumération des événements qui se sont succédé : la dénonciation de la culpabilité d'Esterhazy, niée par un conseil de guerre qui prononce un acquittement ; le coup de tonnerre de « J'accuse » et le procès en assises qui a suivi, débouchant sur la condamnation, puis sur l'exil du romancier ; la révision du procès d'Alfred Dreyfus, entreprise par la chambre criminelle de la Cour de cassation, mais entravée par de nombreux obstacles juridiques, avant qu'une annulation de la condamnation initiale ne soit prononcée par une Cour de cassation siégeant solennellement, toutes chambres réunies ; un second conseil de guerre siégeant à Rennes, loin de l'agitation parisienne, aboutissant, à la stupéfaction générale, à une nouvelle condamnation d'Alfred Dreyfus – une décision incompréhensible, dans la mesure où l'on reconnaît à l'accusé des « circonstances atténuantes », et une source de conflits à venir, puisque rien n'est réglé, avant qu'une grâce présidentielle ne calme le jeu.

Ces péripéties passionnent d'autant plus le public que la littérature invente, au même moment, la forme du roman judiciaire, qui va bientôt donner naissance au roman policier. On observe le fonctionnement des tribunaux. On s'interroge sur le mécanisme de l'enquête. On découvre l'importance du rôle qui est attribué au personnage du juge d'instruction. C'est, d'ailleurs, sur de tels éléments que Zola a joué, en 1890, lorsqu'il a publié *La Bête humaine*, histoire d'une erreur judiciaire dont le principe semble anticiper le drame de l'affaire Dreyfus (notamment par l'importance qu'elle accorde à la preuve offerte par un document autographe).

Des cadavres jalonnent les intrigues des romans judiciaires comme des romans policiers. Donnant l'impression de vouloir rivaliser avec les fictions les plus noires, l'affaire Dreyfus n'en a pas manqué... Suicide du lieutenant-colonel Henry, le 31 août 1898, qui se tranche la gorge avec son rasoir dans sa cellule du Mont-Valérien où on l'a conduit à la suite de son arrestation, après qu'il eut avoué le faux dont il s'était rendu coupable. Crise cardiaque de Félix Faure, dans les bras de sa maîtresse, le 16 février 1899, permettant l'élection d'un nouveau président de la République favorable au processus de la révision. À ces péripéties de premier plan, il faudrait ajouter différentes intrigues secondaires, au déroulement obscur, comme la mort du sinistre Lemercier-Picard, un escroc qui avait prêté son concours à Henry, et que l'on a retrouvé, en mars 1898, pendu dans un hôtel garni de la rue de Sèvres (dans son *Histoire de l'affaire Dreyfus*, Joseph Reinach consacre un long développement à cet épisode). Emprisonné pendant de longs mois, entre juillet 1898 et juin 1899, le lieutenant-colonel Picquart a craint, à plusieurs reprises, pour sa vie. Il avait prévenu ses ennemis, d'ailleurs, en déclarant devant le tribunal qui le jugeait : « Je veux que l'on sache, si l'on trouve dans ma cellule le lacet de Lemercier-Picard ou le rasoir d'Henry, que ce sera un assassinat, car jamais un homme comme moi ne pourra avoir un instant l'idée du suicide. » Commentaire de Séverine, la journaliste de *La Fronde* : avec une telle déclaration, Picquart « s'était vacciné contre le suicide » !

On le voit, tous les ingrédients du roman-feuilleton étaient réunis. Ces multiples rebondissements donnaient aux contemporains l'impression d'un drame qui ne s'achèverait jamais. Au centre de l'intrigue de tout roman-feuilleton se trouve le plus souvent un objet qui circule entre les personnages, qui est transmis, confié ou dérobé, et réapparaît soudain pour apporter un témoignage, confondre le traître, donner la solution espérée au conflit qui s'est noué. Dans l'affaire Dreyfus, l'objet qui circule, c'est bien évidemment la *lettre* – du bordereau recueilli dans la corbeille de l'attaché militaire allemand aux pièces mystérieuses enfermées dans le dossier secret, toutes porteuses de révélations que l'on prétendait décisives. Il existe donc une correspondance parfaite entre le ressort dramatique privilégié par l'invention littéraire et le fondement des accusations portées contre Dreyfus.

Est-ce une simple coïncidence ? Joseph Reinach ne le pense pas. À ces événements qui se sont si bien inscrits dans l'imaginaire collectif il suggère une origine qui pourrait être d'ordre romanesque. Henry, rappelle-t-il, était un grand lecteur du *Petit Journal*, dont il adorait les romans-feuilletons. Or, dans le courant de l'année 1894, avant que ne se produise l'arrestation d'Alfred Dreyfus, *Le Petit Journal* avait publié en feuilleton un roman dont l'intrigue semblait annoncer les événements qui allaient suivre. L'œuvre en question s'intitule *Les Deux Frères*. L'auteur en est Louis Létang, un romancier prolixe de cette époque. L'intrigue met en scène un personnage de sombre calculateur, Aurélien de Prabert, désireux de faire la conquête d'une jeune fille, Marguerite de Briais, pourvue d'une belle fortune. Mais celle-ci est fiancée à un capitaine du génie, attaché au ministère de la Guerre, Philippe Dormelles. Comment se débarrasser d'un rival si gênant ? Grâce à une lettre dont on aura imité l'écriture et qui fera de lui un traître. « On l'arrêtera tout aussitôt – explique Aurélien de Prabert – et on le bloquera à la prison du Cherche-Midi, en attendant le conseil de guerre et le soir même un journal à ma dévotion publiera à grand fracas un article racontant l'infâme trahison d'un officier français.» L'affaire Dreyfus tout entière est déjà présente dans ces quelques lignes : le ministère de la Guerre, la prison du Cherche-Midi, le conseil de guerre à venir, l'aide apportée au conspirateur par une presse à scandale (une seule composante est absente : l'origine juive de l'accusé). L'hypothèse avancée par Joseph Reinach mérite d'être retenue, au moins partiellement. Henry n'a pas cherché à imiter le roman de Louis Létang. Mais la réalité semblait lui apporter ce que la fiction lui avait déjà suggéré. Et cette lecture, comme d'autres du même type, l'invitait à devenir, à son tour, l'auteur d'une construction imaginaire dont il lui suffisait, pensait-il, d'agencer les éléments.

L'affaire Dreyfus a occupé la scène politique française pendant une très longue période. Elle a connu, nous l'avons déjà dit, trois vagues successives. C'est d'abord, entre 1894 et 1897, une tragédie dont l'écho demeure limité – la condamnation d'un innocent, suivie par le grand silence de l'île du Diable. Lui succède, à partir de novembre 1897, un mouvement d'opinion à l'ampleur grandissante opposant, au fil des mois, deux camps qui s'affrontent dans la plus grande violence. Puis, à la suite de la grâce accordée à

Alfred Dreyfus, vient une dernière étape, l'épilogue judiciaire, fait de longs débats techniques, que conclut l'arrêt de réhabilitation prononcé par la Cour de cassation, en juillet 1906. Le *feuilleton* proprement dit de l'affaire Dreyfus ne s'est pas étalé pendant toute cette période. Il s'est concentré sur sa phase centrale, les années 1897-1899. Il fallait, pour le soutenir, les composantes mélodramatiques que nous venons d'évoquer.

Au cours de cette phase centrale, la presse de cette époque découvrit ce que pouvait être sa puissance. Il s'agissait d'un privilège incomparable que les chaînes des médias en continu exploitent avec une jouissance sans égale, en ce début de XXIe siècle : non seulement le droit de dire la vérité (ce qui est la mission normalement attribuée aux journalistes dans une société démocratique), mais aussi le pouvoir, plus insidieux, de distribuer cette vérité au fil des mois, parce que l'on a choisi de faire de sa révélation un long feuilleton dramatique. Avec deux risques majeurs : celui de perdre toute cohérence, à force de disperser les informations ; et celui d'abandonner la rigueur de l'analyse au profit d'une fiction toujours plus envahissante.

13

Zola et Picquart
ont-ils été les héros
de l'affaire Dreyfus ?

Qui furent les héros de l'affaire Dreyfus ? La réponse est fournie par une lithographie d'Hippolyte Petitjean, datant du début de l'année 1899, où sont regroupés les noms de ceux qui eurent le courage de se dresser contre l'injustice. Le dessin montre, à l'arrière-plan, les toits de Paris, formant un lointain décor. Au premier plan, sur l'un des murs du Panthéon, une jeune femme grave des noms sur ce qui doit devenir une stèle du souvenir. C'est la figure allégorique de l'Histoire, occupée à sa tâche de mémorialiste. Elle est éclairée par une autre représentation allégorique, celle de la Vérité, qui tend vers elle un miroir lumineux. Sur la première ligne de cette stèle, on peut lire les noms de Picquart et de Zola. Puis viennent Bernard Lazare, Pressensé, Mirbeau, Clemenceau, Quillard. On distingue encore les noms de Jaurès ou d'Anatole France.

Ils sont tous là, ou presque. Mais une hiérarchie a été instaurée. Zola et Picquart avancent en tête de la glorieuse cohorte. Le choix fait par Hippolyte Petitjean correspond à la perception qui fut celle des contemporains de l'Affaire. Au cours des années 1898 et 1899 qui virent se succéder les principales péripéties de l'affaire Dreyfus, Zola et Picquart ont représenté, chacun à leur manière, la forme la plus élaborée de ce que fut l'engagement dreyfusard. Ils ont été les deux grandes figures héroïques de ce combat collectif.

Aucun doute à ce sujet. Il suffit de rappeler quelques faits qui montrent la communauté de ce destin héroïque. À cause d'une action qui fut déterminante, ils ont été placés, l'un et l'autre, sur le devant de la scène médiatique. Traînés devant la justice, condamnés, ils ont payé au prix fort leur engagement. Mais ils ont bénéficié de multiples témoignages de soutien – pétitions, articles, lettres d'admirateurs. Les dreyfusards se sont mobilisés pour les défendre. Deux grands ouvrages collectifs leur ont rendu hommage, à quelques mois de distance : en juillet 1898, le *Livre d'hommage des Lettres françaises à Émile Zola*, publié au moment du départ en exil de l'écrivain ; et l'*Hommage des artistes à Picquart*, paru au début de l'année 1899, avec une préface d'Octave Mirbeau. En novembre 1898, Francis de Pressensé publia une histoire de l'affaire Dreyfus ayant pour titre : *Un héros. Le lieutenant-colonel Picquart*.

Zola et Picquart incarnent deux formes de l'héroïsme dreyfusard. Leurs démarches individuelles sont différentes. Mais elles se caractérisent, l'une et l'autre, par ce qui définit l'essence même du geste héroïque : agir, alors que rien ne vous y oblige ; agir pour répondre à un impératif moral, commandé par la seule conscience. C'est pourquoi elles ont exercé un tel pouvoir d'attraction sur le camp dreyfusard.

Mis au courant par Scheurer-Kestner des éléments qui montraient l'innocence d'Alfred Dreyfus, ayant sous les yeux les pièces d'un dossier complexe, Zola a hésité avant de se lancer dans la bataille. Il a envisagé les risques, conscient de la gravité de la situation. Et puis il s'est décidé soudainement, « en un coup de foudre », comme il le déclare à sa femme, Alexandrine, le 24 novembre 1897 : « J'étais hanté, je n'en dormais plus, il a fallu que je me soulage. Je trouvais lâche de me taire. Tant pis pour les conséquences, je suis assez fort, je brave tout. »

Un sentiment le guide, l'admiration qu'il éprouve pour Scheurer-Kestner. Il lui a écrit, le 20 novembre : « Vous ne sauriez croire combien votre admirable attitude, si calme, au milieu des menaces et des plus basses injures, m'emplit d'admiration. Il n'est pas de plus beau rôle que le vôtre, quoi qu'il arrive, et je vous l'envie. Je ne sais pas ce que je ferai, mais jamais drame humain ne m'a empli d'émotion plus poignante. C'est le combat pour la vérité, et c'est le seul bon, le seul grand. Même dans l'apparente défaite la victoire est au bout, certaine. »

En quelques mots, l'essentiel est dit. L'Histoire offre un théâtre pour l'action. Elle présente un « rôle » magnifique qu'il convient de saisir ; malgré l'évidence du danger, elle communique à l'esprit une certitude : « dans l'apparente défaite », une « victoire » semble possible. Il suffit donc de dépasser les apparences. L'héroïsme consiste à anticiper sur le cours des événements pour prévoir l'avenir.

C'est ce que perçoit immédiatement Octave Mirbeau lorsqu'il découvre, dans *Le Figaro*, le premier article écrit par le romancier en faveur d'Alfred Dreyfus : « Oh ! mon cher Zola, quel beau, quel brave, quel admirable article vous avez écrit hier ! Et avec quel soulagement nous avons entendu, au milieu de tous ces cris et de toutes ces hontes, votre grande et noble voix ! Ç'a été une émotion qui a fait frissonner tous les cœurs, qui ne sont pas encore pourris ! Et c'est plus qu'une belle page, c'est un acte d'un beau courage. »

La figure de l'écrivain grandit au cours des semaines qui suivent, au fur et à mesure de la progression de la campagne qu'il mène pour convaincre l'opinion publique. Une dimension nouvelle lui est apportée par la publication de « J'accuse », dont le retentissement va désormais orienter la signification du combat dreyfusard.

Mais c'est le procès de l'écrivain, en février 1898, qui parachève cette construction héroïque. Voilà le romancier jeté sur le banc des accusés, soumis au questionnement d'une cour d'assises. À la surprise générale, il ne faiblit pas. Il affronte la tempête, en restant impassible. Lorsqu'il est condamné, le 23 février, des hurlements de joie, venus de ses adversaires, saluent la décision des jurés, emplissant le prétoire de leur vacarme. Il doit alors sortir du Palais de justice sous les huées, menacé par les coups qu'on tente de lui porter, protégé par le faible rempart que lui offrent quelques amis courageux. Une scène inoubliable ! Elle restera dans la mémoire de ceux qui l'ont vécue. Voici l'évocation qu'en donnera Séverine, la rédactrice de *La Fronde* : « Soudain, comme nous quittions le prétoire, nous nous trouvâmes par suite d'une erreur en pleine foule, en pleine folie, à la descente de l'escalier du Palais de justice... Et alors, oui vraiment, j'ai vu le héros ! plus beau que l'antiquité ne l'a jamais conçu ! celui qui, à travers tout, contre tout, sur tout, exige le nom de héros ! Il était maladroit, il était myope, il tenait gauchement son parapluie sous son bras ; il avait les gestes et l'allure de l'homme d'études. Mais quand il descendit une à une les marches du Palais de justice, parmi les cris de haine, les clameurs de mort, sous une voûte de cannes levées, ce fut comme un roi descendant sous une voûte d'épées nues l'escalier de l'Hôtel de Ville [...]. C'est ce que j'ai vu de plus grand dans ma vie : c'était le triomphe d'une conscience, d'une vérité, d'une individualité. »

À côté de cet intellectuel myope, aux gestes maladroits, la chance des dreyfusards fut de pouvoir disposer, avec le lieutenant-colonel Picquart, d'une autre figure de la bravoure, plus surprenante encore et plus conforme, en même temps, à la conception traditionnelle que l'on pouvait se faire de l'héroïsme. Nous espérions un héros, s'exclame Francis de Pressensé au début de l'ouvrage qu'il lui a consacré. Eh bien, le voilà... « Oui, c'est un héros dans toute la force du terme, un homme qui honore l'humanité et qui semble sorti des pages de Plutarque. » L'ancien chef du bureau des renseignements, ajoute-t-il, « a déployé un courage civique mille fois plus rare et plus noble que ce courage militaire dont en Algérie et au Tonkin il avait donné tant de preuves ».

Le lieutenant-colonel Picquart attire tous les regards sur sa personne, lorsque le grand public le découvre, pour la première fois, au procès d'Émile Zola, le 11 février 1898. Il se présente à la barre, revêtu de son uniforme des tirailleurs algériens, dolman bleu ciel soutaché d'or, pantalon rouge bouffant[1]. Élégant, l'allure juvénile, âgé

---

1. Après sa disgrâce, il avait été muté dans un régiment de tirailleurs algériens basé à Sousse, en Tunisie.

de quarante-trois ans, en paraissant à peine trente. Une apparition ! Les dreyfusards sont subjugués. Marcel Proust, présent à l'audience, voit en lui « un cavalier qui revenait d'Afrique », fendant la foule avec aisance, « comme descendant de cheval et gardant à pied la rapide et légère allure d'un spahi à cheval ». Séverine s'enthousiasme : « Le geste est rare ; la voix, imprécise d'abord, ne tarde pas à se poser. Mais l'accent en demeure d'une inaltérable douceur, raisonnable pourrait-on dire, dans la justesse du ton et la simplicité. Et ce qui frappe le plus en lui, c'est le contraste avec tous ceux de sa profession qui ont jusqu'ici paru à cette place. Il est "autre" extraordinairement : méditatif, mélancolique, artiste… "intellectuel", hélas ! »

« Cette disposition à se replier sur lui-même – écrit Anatole France –, sa simplicité naturelle, son esprit de renoncement et de sacrifice, et cette belle candeur, qui reste parfois comme une grâce dans les âmes les mieux averties du mal universel, faisaient de lui un de ces soldats qu'Alfred de Vigny avait vus ou devinés, calmes héros de chaque jour, qui communiquent aux plus humbles soins qu'ils prennent la noblesse qui est en eux, et pour qui l'accomplissement du devoir régulier est la poésie familière de la vie. »

Même référence à Alfred de Vigny sous la plume de Julien Benda, lorsque ce dernier évoque la figure de Picquart dans ses mémoires (*La Jeunesse d'un clerc*) : « Sa religion évidente pour l'état militaire donnait à sa philosophie, on pourrait dire à sa mélancolie, une tenue toute spéciale, comme on la voit chez les Vauvenargues et les Vigny, dont il semblait un fils et dont la race m'a, pour cette cause, toujours si fort retenu. »

Comme Zola, Picquart se trouve grandi par l'épreuve qu'il doit subir : soixante jours d'arrêt de forteresse au Mont-Valérien, au début de l'année 1898, suivis par onze mois de prison à la Santé puis au Cherche-Midi, de juillet 1898 à juin 1899. L'acharnement des autorités militaires et la durée de l'emprisonnement décuplent la ferveur de ses partisans. « Des femmes lui envoyaient des fleurs. De toutes les parties du monde, il reçut des lettres admiratives », raconte Joseph Reinach. Tombée follement amoureuse du bel officier au dolman bleu, Jane Charpentier, la fille de Georges Charpentier (l'éditeur de Zola), rêve de l'épouser, ce qui met en émoi toute la famille, en provoquant des scènes de discorde ! Poussant le fétichisme jusqu'à un degré extrême, certaines admiratrices collent sur des photographies de leur idole des morceaux de tissu correspondant à la couleur de son uniforme. De telles passions irraisonnées ne manquent pas de susciter l'ironie de Maurice Barrès : « Cet hiver trente dames alternées lui portaient dans sa prison des sucreries et des fleurs. Il fournit un thème lyrique aux belles âmes douées pour rimer. »

Nés de ces enthousiasmes multiples, deux livres d'hommage ont célébré l'action de Zola et celle de Picquart.

L'ouvrage de soutien à Émile Zola, en juillet 1898, est le fruit d'une coopération entre un groupe d'écrivains français et belges. Il rassemble plus d'une centaine de contributions individuelles avec des textes d'une grande diversité. Cela va du billet rapidement composé au morceau soigneusement rédigé. Les réactions personnelles se mêlent aux réflexions historiques et sociologiques. Quelques poèmes ont été insérés. La forme d'écriture importe peu. L'essentiel est de trouver les mots qui disent l'admiration. Comme l'explique l'avant-propos, « trois générations viennent, dans cet hommage, proclamer bien haut que malgré la divergence des opinions politiques, des situations sociales, il existe un sentiment plus fort que toute idée et tout âge : le sentiment de la Justice ». La volonté d'unanimité aboutit à laisser à l'arrière-plan la discussion littéraire. L'écrivain naturaliste est oublié. Plusieurs contributeurs, d'ailleurs, avouent n'avoir guère d'inclination pour l'esthétique de *L'Assommoir* ou de *La Terre*. Seul compte, à leurs yeux, l'acte qui a été réalisé, perçu d'une manière absolue, dans sa dimension quasi métaphysique. La parole qui s'exprime est entièrement vouée à sa fonction de célébration.

Une même volonté unanime s'exprime dans l'ouvrage composé pour Picquart, quelques mois plus tard. On y trouve non des textes, mais une série de lithographies qui ont choisi le langage de l'image : à des portraits du lieutenant-colonel, pris sous différents angles, succèdent des représentations allégoriques du combat de l'affaire Dreyfus montrant l'affrontement entre une foule aveugle et ceux qui tentent de l'éclairer. Certains des auteurs de ces lithographies sont des artistes aux sympathies anarchistes qui rejettent l'institution militaire. Pour eux, l'éloge de l'officier dreyfusard constitue un exercice délicat. Mais ils contournent l'obstacle avec habileté. L'exaltation de l'héroïsme gomme les divisions.

En ce qui nous concerne, plus d'un siècle après, l'hommage que nous pourrions rendre à l'héroïsme du lieutenant-colonel Picquart bute sur un obstacle majeur : non pas sur son statut de militaire, mais sur le fait qu'il ait été antisémite. Sans doute Picquart n'adhérait-il pas aux opinions extrêmes d'un homme tel que le colonel Sandherr dont il avait pris la succession à la tête du service des renseignements. Mais il n'aurait pas été nommé au poste qu'on lui avait confié s'il n'avait pas partagé sur ce point des positions largement répandues dans son milieu. Zola, d'ailleurs, en était conscient. Dans son « J'accuse » – ce qui ne manque pas de nous surprendre –, il va jusqu'à utiliser cet argument pour combattre la thèse du « syndicat juif » qui aurait été à l'origine du complot monté contre Esterhazy : « On va jusqu'à dire que c'est lui [Picquart] le faussaire, qu'il a fabriqué la carte-télégramme pour perdre Esterhazy. Mais, grand Dieu ! pourquoi ? dans quel but ? Donnez un motif. Est-ce que celui-là aussi est payé par les juifs ? Le joli de l'histoire est qu'il était justement antisémite. »

Picquart a mis sa carrière en jeu pour défendre l'innocence d'Alfred Dreyfus et il n'a pas fléchi sur ce point, même au moment du procès de Zola, où il a eu le courage de s'opposer avec fermeté aux représentants de l'État-major. Jusqu'à quel point était-il antisémite ? Sans trancher sur cette question, nous répondrons en citant deux témoignages de contemporains. Celui de Daniel Halévy, pour qui il était un « antisémite de goût, non d'âme ». Et celui de Julien Benda qui, dans ses mémoires, se souvient avec émotion de ce « regard de charité si haute » adressé par Picquart à Dreyfus lors de la première audience du procès de Rennes...

14

L'engagement dreyfusard était-il fondé sur l'émotion ?

« Ma protestation enflammée n'est que le cri de mon âme », lance Zola, à la fin de son « J'accuse ». Son engagement repose sur des arguments soigneusement pesés, élaborés d'une manière rationnelle. Mais une émotion primordiale le guide, l'indignation devant l'injustice – un « cri » qui provient de la conscience. Il déclarait déjà en 1882, en faisant le bilan de ses combats de journaliste et de critique littéraire[1] : « Ah ! vivre indigné, vivre enragé contre les talents mensongers, contre les réputations volées, contre la médiocrité universelle ! [...] Voilà quelle a été ma passion, j'en suis tout ensanglanté, mais je l'aime, et, si je vaux quelque chose, c'est par elle, par elle seule ! »

---

1. Dans la préface d'un recueil de chroniques intitulé *Une campagne*.

Cette déclaration ne faisait que reprendre une règle morale qu'il avait posée dès le début de sa carrière littéraire, en 1866, à l'âge de vingt-six ans, alors qu'il publiait son premier recueil d'articles critiques, *Mes Haines* : « Si vous me demandez ce que je viens faire en ce monde, moi artiste, je vous répondrai : "Je viens vivre tout haut." » En 1898, donc, s'achève un long parcours régi par des principes affirmés avec constance, pendant toute la durée d'une existence : écrire, c'est mettre des mots sur la page blanche d'une émotion ; s'engager, c'est répondre à une exigence morale, quels que soient les dangers encourus.

Un mouvement comparable anime ceux qui s'engagent derrière lui, en janvier 1898, en signant les deux pétitions qui suivent immédiatement la publication de « J'accuse ». L'émotion guide leur démarche. Ils « protestent », en demandant la « révision » du procès d'Alfred Dreyfus ; ils sont « frappés des irrégularités commises » ; ils se disent « étonnés », « émus », devant ce qu'ils constatent. Certaines pétitions choisissent le langage de l'admiration. Les signataires d'une « Adresse à Émile Zola », lancée le 2 février, qui appartiennent « au monde des arts, des sciences et des lettres », « félicitent Émile Zola de la noble attitude militante qu'il a prise dans cette ténébreuse affaire Dreyfus ». Même attitude de la part de ceux qui soutiennent

Picquart, quelques mois plus tard, dans une pétition que publient les journaux dreyfusards à partir du 25 novembre : ils s'élèvent « au nom du droit méconnu contre les poursuites et les persécutions qui frappent le colonel Picquart, l'héroïque artisan de la révision, à l'heure même où celle-ci s'accomplit ».

C'est encore sur le registre de l'émotion qu'est composé le texte d'une magnifique pétition lancée en mars 1898, en faveur de Lucie Dreyfus, par des « femmes » et des « mères » qui protestent « au nom de l'humanité et de la justice outragée ». Elles sollicitent du ministre des Colonies « un peu de pitié pour cette malheureuse et admirable femme qu'est Mme Lucie Dreyfus, dont les souffrances dépassent tout ce qu'on peut imaginer » ; elles demandent « qu'elle puisse rejoindre son mari et qu'en attendant il lui soit permis de recevoir les lettres autographes du condamné de l'île du Diable » ; et elles envoient à l'épouse du capitaine l'expression de leur « admiration » et de leur « ardente sympathie ».

Ceux qui inscrivent leur nom au bas d'une pétition font preuve d'un courage indéniable. Ils se livrent au grand jour et ils prennent le risque d'être attaqués par la presse nationaliste. Dès la parution des premières listes, *La Libre Parole* ne manque pas de s'insurger, trouvant inadmissible que des professeurs, fonctionnaires de l'État, aient l'outrecuidance de manifester publiquement leur soutien à Alfred Dreyfus. Mais le courage des dreyfusards réside précisément dans cet acte : sortir de l'anonymat, s'exposer d'une manière ouverte – « vivre tout haut », pour reprendre l'expression employée par Zola. La pétition en faveur de Picquart (qui a rencontré un grand succès, en recueillant plus de 50 000 signatures) pousse très loin cette volonté de transparence : on y trouve souvent, à côté du nom, la profession et même l'adresse du signataire.

Plus discrète, forme moins visible de l'engagement, la lettre de soutien montre également l'importance prise par l'émotion dans la conscience dreyfusarde. En janvier et février 1898, au moment de « J'accuse » et du procès qui a suivi, Zola a reçu ainsi plusieurs centaines de lettres, provenant de toutes les régions de France et même du monde entier. Entre juin et septembre 1899, alors que se jouait la révision du procès de son mari, Lucie Dreyfus a bénéficié de témoignages de même nature.

Les auteurs de ces lettres expriment, avant tout, leur admiration, en s'excusant parfois de leur audace, car ils ont bien conscience d'être des « inconnus[2] », ne possédant aucun titre particulier les autorisant à prendre ainsi la parole.

---

2. Terme choisi par Marie Aynié pour le titre de l'ouvrage qu'elle a consacré à cette question : *Les Amis inconnus. Se mobiliser pour Dreyfus (1897-1899)*, Privat, 2011.

Voici ce que l'un de ces inconnus déclare à Zola, le 14 janvier 1898 : « Permettez à un inconnu de vous dire que vous avez accompli là, en matière de courage, c'est-à-dire de vertu, un acte équivalent à ce qu'est le Parthénon, en matière de beau, un de ces actes qui flambent au sommet de l'histoire et qui rachètent l'homme de ses médiocrités et de tant de vilenies. » De la part de Gaston Laurent, professeur de philosophie, 9, rue des Archives : « En lisant votre lettre, j'ai cru entendre sortir de la tombe la grande voix d'un Victor Hugo : oui, elle est vraiment ressuscitée. Vous prenez place parmi les grands hommes qui parlent pour la France dans l'histoire : vous pouvez regarder avec calme leurs images et leur dire : "vous tous, soyez témoins". » Sur un autre registre, cette apostrophe d'Ernest Lavergne, garçon de restaurant, le 14 janvier : « Salut défenseur de l'humanité, ne vous laissez pas intimider par les pantins de l'état-major, comme vous les appelez si judicieusement. Vous avez avec vous, citoyen, la masse prolétarienne, elle vous admire dans cette œuvre d'assainissement moral, et elle est heureuse, j'en suis certain, de constater que votre génie colossal est au service des opprimés. » Sous la plume de Cécile Cassot, 27, rue Saint-Marc : « Ce cri de justice que personne n'osait jeter, vous l'avez magnifiquement fait entendre dans votre admirable lettre. Jamais, jamais, vous n'avez trouvé d'accents pareils. [...] Oh ! maître, je vous aime et vous suis, car il n'y a pas de sexe

pour la Vérité et la Justice. » Ou encore de la part
de cette lectrice qui, pourtant, n'a pas aimé *Thérèse
Raquin* (car il lui est impossible de s'identifier à
l'héroïne du roman, dont elle ne partage pas les
sentiments) : « Aujourd'hui devant votre admirable
lettre, je m'incline devant l'homme assez courageux pour dire la vérité, et prendre la défense d'un
innocent et d'une victime. »

En s'adressant à Lucie Dreyfus, le 11 septembre
1899, Élisabeth Lesœur, qui habite Paris, s'excuse
de son intrusion : « Vous ne me connaissez pas et
moi je vous connais seulement par la respectueuse
admiration que vous m'inspirez. Votre attitude
toujours si digne et énergique a ému beaucoup
de gens qui n'osent vous le dire ; pour ma part
un tel silence me semble impossible à garder
aujourd'hui et dût ma démarche vous paraître
indiscrète je suis venue vous exprimer toute ma
profonde et ardente sympathie. » Même attitude
de la part de Madeleine Lajoye, le 17 septembre,
au lendemain du procès de Rennes : « Je ne suis
pour vous qu'une inconnue, et je n'aurai sans
doute jamais l'honneur de vous connaître. Mais
depuis le commencement des débats si passionnés
qui se sont ouverts à Rennes, et qui pour vous ont
marqué les étapes du calvaire que vous gravissez
si courageusement, j'ai éprouvé l'ardent désir de
vous envoyer un humble témoignage d'admiration
et de sympathie. » La sentence absurde prononcée
par le conseil de guerre de Rennes indigne Alice

Bichenot, qui écrit de Valence, le 10 septembre :
« Mon cœur saigne pour vous et je ne trouve pas
de paroles pour vous exprimer ce que je sens. Je
ne puis que pleurer avec vous. Il est une chose,
cependant, que je me sens pressée de vous dire :
c'est que ce dernier jugement n'a rien enlevé à
notre conviction de l'innocence du malheureux
capitaine Dreyfus. Ces nouveaux débats l'auraient
plutôt fortifiée, si elle avait eu besoin de l'être. Je
dis notre conviction, car nous sommes nombreux
ici qui croyons depuis longtemps à cette innocence
et je connais bien des familles chez lesquelles la
nouvelle, aussi foudroyante qu'inattendue, a causé
une véritable stupeur, et a été accueillie chez
plusieurs par des larmes et des sanglots. » Voici
encore, sur le même sujet, ce que déclare Marie
Raban, habitante de Barbery, dans l'Oise : « Si le
capitaine Dreyfus avait été acquitté, je ne me serais
pas permis de vous écrire, mais il est de nouveau
condamné, et vous souffrez et il souffre. Quelque
humble que soit la personne qui le donne, un
témoignage de respect et de sympathie est toujours
une consolation, et si vous saviez, Madame, ce que
je m'associe à vos douleurs et à ses souffrances[3] ! »

---

3. Les citations des lettres à Lucie Dreyfus sont emprun-
tées à l'ouvrage de Marie Aynié. Celles des lettres adressées
à Zola proviennent des archives du Centre d'étude sur Zola
et le naturalisme (Institut des textes et manuscrits modernes,
CNRS/ENS).

L'engagement dreyfusard repose sur deux sentiments associés, l'indignation devant l'injustice commise et l'admiration envers ceux qui luttent contre cette injustice. Les signataires des pétitions ou les auteurs des lettres de soutien accompagnent de leur émotion Zola, Picquart ou Lucie Dreyfus. Ils vibrent avec eux. Ils s'identifient aux valeurs qu'ils incarnent. Ces figures héroïques leur permettent de mieux comprendre les enjeux de la bataille en cours. En réfléchissant à ce qu'a pu représenter Picquart, Bernard Lazare, qui ne l'aimait guère (car il lui a reproché ses tergiversations), est bien forcé de le reconnaître : « La masse n'a pas été dreyfusarde, elle a été picquardiste, elle a marché quand elle a eu un prude héros en culotte rouge. » Et il ajoute : « Picquart à ce point de vue a été utile. On ne remue pas un peuple seulement avec des idées abstraites. Il a permis de rendre tangible le drame. »

Cette place faite à l'admiration (dont on admettra les limites, pour tenir compte de l'objection faite par Bernard Lazare) est sans doute ce qui différencie le combat dreyfusard des mouvements sociaux modernes, portés, eux aussi, par un fort sentiment d'indignation – des « indignados » espagnols de 2011 aux « gilets jaunes » d'aujourd'hui. Les indignés de notre époque suivent l'injonction du pamphlet publié en 2010 par Stéphane Hessel, *Indignez-vous !*, qui appelait à une révolte générale contre toutes les formes possibles d'injustice. Ils voient dans l'indignation un mode d'expression absolu qui peut même les conduire à la haine.

De cette haine les dreyfusards ont, le plus souvent, été préservés, car ils avaient le sentiment, grâce à leur lutte, de contribuer à l'édification d'une société différente, apportant à chacun des droits nouveaux. Leurs espérances naissaient aux commencements d'une démocratie confiante dans sa capacité à inventer un nouvel avenir. Ils possédaient une qualité qui a sans doute disparu dans les révoltes d'aujourd'hui : se montrer capables de passer de l'indignation à l'admiration.

15

Les socialistes
ont-ils été dreyfusards ?

« À un prolétaire »… L'appel s'inscrit en première
page de *L'Aurore*, ce lundi 8 août 1898. Il forme le
titre d'un article d'Octave Mirbeau qui pose une
question essentielle pour le combat en train de
se dérouler. Cette affaire Dreyfus concerne-t-elle
la classe ouvrière ? Les socialistes doivent-ils s'en
préoccuper ? Oui, répond Mirbeau, sans hésiter,
en interpellant le « prolétaire » à qui il a choisi
d'adresser une lettre ouverte. On te pousse à te
désintéresser de cette histoire, lui déclare Mirbeau,
parce qu'elle concerne « un riche, un officier, un
éternel ennemi », mais « l'injustice qui frappe un
être vivant – fût-il ton ennemi – te frappe du
même coup ». Car c'est « l'Humanité » qui est
« lésée »… « En le défendant, celui qu'oppriment
toutes les forces brutales, toutes les passions d'une
société déclinante, c'est toi que tu défends en lui,
ce sont les tiens, c'est ton droit à la liberté, et à la

vie, si précairement conquis, au prix de combien de sang ! »

En écrivant cet article, Octave Mirbeau dénonce avec vigueur le dogmatisme de Jules Guesde qui, au même moment, engageait les militants du Parti ouvrier français à faire preuve de neutralité dans le conflit en cours. C'est ce que proclamait un manifeste publié dans *Le Socialiste* quelques jours plus tôt, le 24 juillet : « Le Parti socialiste ne saurait, sans duperie et sans trahison, se laisser un seul instant dévier de sa route, suspendre sa propre guerre, et s'égarer dans des redressements de torts individuels qui trouveront leur réparation dans la réparation générale. » Une telle attitude révolte profondément Mirbeau. Il invite son interlocuteur à suivre, au contraire, l'exemple de Jaurès, qui a décidé de s'engager dans le combat dreyfusard : comme Zola, Jaurès voit clairement quels sont les enjeux, car c'est « un grand apôtre, une grande Parole, et une grande Âme de Justice ! ».

En ce mois d'août 1898, en effet, les socialistes sont divisés. D'un côté, le Parti ouvrier français, derrière Guesde, qui a fait le choix de l'abstention, persistant dans une position déjà exprimée, le 20 janvier 1898, à travers un manifeste publié dans *La Petite République* et *La Lanterne*, invitant le « prolétariat » à se tenir à l'écart de « ce champ de combat » où s'opposaient « deux fractions rivales de la classe bourgeoise », « les opportunistes et les cléricaux », qui s'accordaient « pour duper et mater la démocratie », « pour tenir le peuple en tutelle, pour écraser les syndicats ouvriers, pour prolonger par tous les moyens le régime capitaliste et le salariat ». De l'autre côté, ceux qui pensent qu'on ne peut passer à côté du grand affrontement qui déchire le pays : Jean Allemane, chef de file du Parti socialiste ouvrier révolutionnaire (de tendance anarchiste), qui, dès l'origine, a exprimé son soutien à Zola[1] ; et Jean Jaurès. En janvier, par esprit de solidarité, Jaurès a signé le manifeste de *La Petite République* ; mais ayant perdu son siège de député aux élections législatives de mai 1898, forcé d'abandonner sa circonscription de Carmaux, il peut désormais agir en toute indépendance. Il est parfaitement au courant de toutes les circonstances de l'Affaire grâce à Lucien Herr, le bibliothécaire de l'École normale supérieure, à l'origine des pétitions en faveur d'Alfred Dreyfus. Aussi a-t-il décidé de faire entendre sa voix. Au cours des mois précédents, ses interventions à la Chambre ont mis, à plusieurs reprises, le gouvernement en difficulté. Mais puisqu'il se trouve désormais éloigné de l'arène parlementaire, c'est sur un autre terrain qu'il va s'exprimer, celui du journalisme, au moment même où Zola, exilé en Angleterre, se trouve réduit au silence. Lui aussi, il entend lancer son « J'accuse ». Son intervention

---

1. Dans une lettre ouverte publiée dans *L'Aurore*, le 16 janvier 1898.

prendra la forme d'une série d'articles qui se suc-
céderont dans *La Petite République* au cours des
mois d'août et de septembre 1898, avant d'être
réunis en volume. Le titre qu'il a choisi, *Les
Preuves*, indique clairement son propos : démontrer l'innocence du capitaine Dreyfus.

Le texte des *Preuves* est long. Imprimé en volume,
il fait 294 pages. Jaurès reprend méthodiquement
l'ensemble du dossier en examinant, les uns après
les autres, les arguments des antidreyfusards. Il
commence par les prétendus aveux que Dreyfus
aurait faits le jour de sa dégradation en montrant
qu'il s'agit d'une rumeur sans fondement. Puis il
analyse longuement le contenu du bordereau et
les expertises graphologiques en insistant sur la
vacuité des charges qui ont été accumulées. Le
personnage d'Esterhazy retient ensuite son attention. Il expose, en soulignant leur absurdité, la
série des mensonges avancés par ce dernier pour se
défendre. Les derniers articles se concentrent sur
l'activité des « bureaux de la Guerre », acharnés à
perdre Dreyfus, et sur le travail des « faussaires »
destiné à nourrir de façon illusoire un dossier
d'accusation resté vide. Jaurès dénonce le rôle
néfaste joué par Du Paty de Clam (comme Zola,
il ignore quelles sont les responsabilités d'Henry).
Et il termine sa philippique en désignant les « criminels » : « Ah ! certes, ils sont bien criminels les
officiers comme Du Paty de Clam qui ont machiné
contre Dreyfus une instruction monstrueuse. Il est

bien criminel, ce général Mercier, qui a frappé Dreyfus, par-derrière, de documents sans valeur que l'accusé n'a pu connaître, que les juges mêmes n'ont pu librement discuter. Criminels encore, ces généraux et officiers d'État-major qui, apprenant par le colonel Picquart l'innocence de Dreyfus, la trahison d'Esterhazy, ont frappé le colonel Picquart et lié partie avec Esterhazy, le traître. » Les dernières lignes réclament une justice impartiale, capable enfin de faire la lumière : « Pas de huis clos ! Pas de ténèbres ! Au plein jour la justice ! Au plein jour la révision pour le salut de l'innocent, pour le châtiment des coupables, pour l'enseignement des peuples, pour l'honneur de La Patrie ! » Un mouvement oratoire identique à celui qui animait la dernière page du « J'accuse » de Zola.

Le volume des *Preuves*, avec l'ensemble de ses articles, séduit par la rigueur de sa démonstration autant que par la vigueur de son propos. À la démarche de l'historien, Jaurès associe la méthode du philologue, attentif au détail des énoncés. Se fondant sur les principaux articles de presse qui ont jalonné le déroulement de l'Affaire ainsi que sur le compte rendu du procès d'Émile Zola imprimé par les éditions Stock, il rassemble les faits, confronte les déclarations pour débusquer les contradictions et faire surgir la vérité. Donnant à chaque élément la place exacte qui lui revient, il déconstruit le mécanisme des légendes.

En agissant de la sorte, Jaurès s'adresse à l'opinion publique, qu'il espère convaincre. Mais il se tourne d'abord vers ses camarades socialistes à qui il veut montrer que ce combat les concerne également. Le premier de ses articles, publié le 10 août, comporte un long développement sur l'« intérêt socialiste ». Alfred Dreyfus, leur déclare-t-il, ne doit pas être considéré comme un bourgeois, comme un officier issu d'un monde de privilégiés. « Il est dépouillé, par l'excès même du malheur, de tout caractère de classe ; il n'est plus que l'humanité elle-même, au plus haut degré de misère et de désespoir qui se puisse imaginer. » Il incarne une cause juste, car « il est le témoin vivant du mensonge militaire, de la lâcheté politique, des crimes de l'autorité ». Combattre en sa faveur, c'est donc lutter à la fois pour l'humanité et pour la classe ouvrière.

Le texte des *Preuves* a eu un effet considérable sur l'opinion publique. Mais il s'est produit un événement plus extraordinaire encore. Dans les derniers jours du mois d'août, alors que *La Petite République* livrait, article après article, la vérité patiemment reconstruite par Jean Jaurès, l'Histoire, accélérant le cours du destin, a semblé vouloir proclamer aux yeux de tous l'exactitude de la démonstration avancée par le leader socialiste. Ministre de la Guerre depuis la fin du mois de juin, dans le cabinet présidé par Henri Brisson, Godefroy Cavaignac avait demandé à son officier d'ordonnance, le capitaine Cuignet, de reprendre l'examen du dossier d'accusation. Le faux fabriqué par Henry en 1896 en constituait la pièce centrale. La supercherie a été découverte par Cuignet. Acculé, le ministre n'a pu se dérober. Il ne lui était plus possible de défendre l'authenticité d'un tel document, alors que la campagne de presse conduite par Jaurès prenait de l'ampleur. Le lieutenant-colonel Henry a dû reconnaître son forfait. Arrêté, il s'est suicidé, le 31 août, dans la cellule du Mont-Valérien où il avait été enfermé.

La voie était ouverte pour que la Cour de cassation entreprenne son travail de révision. Le suicide d'Henry justifiait la nécessité de son enquête. La synthèse documentaire produite par Jaurès pouvait servir d'introduction à ses investigations.

Jaurès est entré tardivement dans l'affaire Dreyfus. Mais une fois embarqué, il ne lâchera plus prise ; il sera l'un des acteurs majeurs des événements qui vont suivre. En septembre 1899, après l'absurde condamnation prononcée par le conseil de guerre siégeant à Rennes, il fit partie de ceux qui acceptèrent la nécessité de la grâce, convaincu qu'il fallait mettre un terme au calvaire enduré par Alfred Dreyfus. En avril 1903, il prit l'initiative de relancer l'Affaire sur le plan juridique. Il occupa la tribune de la Chambre, au cours de deux longues séances, pour montrer qu'il fallait revenir sur le verdict du procès de Rennes et reprendre l'ensemble du dossier. Son intervention, décisive, conduisit à la seconde révision conduite par la Cour de cassation.

On mesurera l'importance du chemin parcouru si l'on revient quelques années en arrière, à une scène qui s'est déroulée le 24 décembre 1894, deux jours après la conclusion du procès d'Alfred Dreyfus. Ce jour-là, Jaurès intervient à la Chambre, au nom du groupe socialiste. Il s'indigne de l'injustice qui règne dans les tribunaux militaires. Pourquoi, demande-t-il, ce capitaine, qui est accusé de haute trahison, est-il seulement condamné à une peine de déportation ? Pourquoi a-t-il la vie sauve, alors que, dans d'autres circonstances, « on fusille sans grâce et sans pitié de simples soldats coupables d'une minute d'égarement et de violence » ? À ses yeux, l'homme dont on vient d'épargner l'existence, membre d'une classe de privilégiés, ne mérite aucune indulgence... Mais c'était avant la crise déclenchée par les révélations du mois de novembre 1897. À cette époque, l'ensemble du pays, à l'exception des proches de l'accusé, était convaincu de la culpabilité de cet officier juif dont la presse affirmait qu'il avait livré à l'ennemi des documents d'une importance considérable.

16

L'opinion publique a-t-elle soutenu la cause d'Alfred Dreyfus ?

Sur les sites Internet, dans les ouvrages d'histoire ou les manuels scolaires, l'image est fréquemment reproduite. Alfred Dreyfus, au garde-à-vous, la tête droite, le regard fixe, fait face à un adjudant de la garde républicaine, à l'allure de géant, qui est en train de briser son sabre d'officier. La scène se passe dans la grande cour de l'École militaire dont les bâtiments sont dessinés. Des soldats sont massés, à l'arrière-plan. Au centre de l'image, le dôme des Invalides, que l'on aperçoit au loin, jette une lueur dorée sur les personnages. Il s'agit de la cérémonie de dégradation du capitaine, le 5 janvier 1895. Cette image forme la couverture du *Supplément illustré* du *Petit Journal* publié huit jours plus tard. Le dessin est sobre ; il entend donner une représentation de la réalité aussi fidèle que possible. Mais la légende qui l'accompagne est sans appel : « LE TRAÎTRE. Dégradation d'Alfred Dreyfus. » Dans les pages intérieures, un commentaire indique toute l'horreur qu'inspire à l'auteur de la gravure l'acte commis par celui que l'on vient ainsi de chasser de l'armée.

Le dessin du *Petit Journal* est reproduit dans un quotidien qui tire à plus d'un million d'exemplaires. Il correspond à la vision de l'opinion publique française en janvier 1895, alors que le procès du capitaine vient de se tenir, et même au cours des années 1897-1898, quand le scandale éclate au grand jour et qu'est posée la question de l'innocence du condamné. L'image restait gravée dans les esprits : celle du châtiment public infligé au traître. Une scène que l'on retenait à cause de sa violence symbolique. Dans l'un des numéros des *Archives d'anthropologie criminelle*, publié au début du XXe siècle, le professeur Alexandre Lacassagne, travaillant sur la question des tatouages recouvrant le corps des prostituées ou des délinquants, cite le cas d'un ancien soldat, du nom d'Auguste Formain, envoyé dans un bataillon disciplinaire en Afrique, et qui, pour passer le temps, s'était fait tatouer, sur l'ensemble du corps, plus d'une centaine de dessins représentant les événements de l'affaire Dreyfus. La pièce centrale de ce dispositif épidermique – le chef-d'œuvre, en quelque sorte, de ce véritable musée de l'Affaire – occupait toute la surface du dos, de l'arrière du cou au bas des reins. C'était la dégradation d'Alfred Dreyfus telle qu'elle avait été popularisée par la couverture du *Petit Journal*. La réalisation de cette œuvre d'art avait demandé trois mois d'efforts minutieux à l'artiste qui en était l'auteur !

Quels arguments forgent les convictions d'une opinion publique qui, dans sa très large majorité, demeura longtemps hostile à la cause d'Alfred Dreyfus ? Pour les découvrir, il suffit de feuilleter la collection de *psst... !*, l'hebdomadaire lancé par Forain et Caran d'Ache au début du mois de février 1898, alors que va s'ouvrir le procès d'Émile Zola devant la cour d'assises de la Seine. Chaque semaine, quatre pages remplies de caricatures illustrent l'actualité du moment. L'affaire Dreyfus constitue le sujet dominant. Les textes sont très courts, réduits aux seules légendes qui accompagnent les dessins. Le discours s'efface devant l'image. Celle-ci se nourrit des grandes obsessions qui fondent la pensée nationaliste de l'époque : l'antisémitisme et la haine de l'ennemi, incarné par le soldat prussien. Il s'agit d'atteindre directement l'imaginaire du lecteur, en jouant sur ses instincts primaires. Sur la couverture, les compositions de Forain mettent en scène les silhouettes grisâtres des personnages offerts à la moquerie des lecteurs. À l'intérieur du numéro, les dessins de Caran d'Ache, servant de relais, présentent des saynètes comiques qui jouent volontiers sur le ressort de la scatologie.

Le numéro 25, publié le 23 juillet 1898, au moment du départ en exil d'Émile Zola, propose une couverture typique de la manière dont use Forain. Il montre un Zola voûté, au visage grimaçant, enveloppé d'un large manteau d'où surgit la tête du juif qui a pu inspirer son action ; un soldat prussien se dresse derrière le personnage dédoublé, tenant entre ses mains tous les fils de l'intrigue, tel un montreur de marionnettes. La légende se limite à ces mots : « Allégorie. L'Affaire Dreyfus. » Forain répond au fantasme antisémite que réclame son lecteur. Conformément à l'étymologie du terme « allégorie » (qui renvoie à l'idée de l'altérité), il lui désigne une cible, le juif, cet « autre » qu'il doit haïr.

L'état de l'opinion publique a-t-il été modifié par les deux événements qui ont marqué les derniers mois de l'année 1898 : le suicide du lieutenant-colonel Henry, puis la décision prise par la Cour de cassation d'entreprendre la révision du procès d'Alfred Dreyfus ? En dépit des arguments qui lui sont opposés, le camp nationaliste s'acharne, au contraire, à défendre la personnalité d'Henry. Les ténors de l'antidreyfusisme, Ernest Judet dans *Le Petit Journal*, Henri Rochefort dans *L'Intransigeant*, Édouard Drumont dans *La Libre Parole*, célèbrent son « sacrifice ». Le faux qui a été fabriqué, déclarent-ils, dissimule de véritables preuves qu'on ne pouvait produire sans risquer la guerre avec la Prusse. Dans un article publié par *La Gazette de France* les 6 et 7 septembre 1898, Charles Maurras fait d'Henry un martyr qui s'est donné la mort par amour de la patrie : « De ce sang précieux, le premier sang français versé dans l'affaire Dreyfus, il n'est pas une seule goutte qui ne fume encore, partout où palpite le cœur de la nation. »

La veuve du lieutenant-colonel Henry veut défendre la mémoire de son mari et répondre aux accusations dont il fait l'objet. Pour lui venir en aide, la rédaction de *La Libre Parole* lance une souscription, à la fin de l'année 1898. Dix-huit listes, rassemblant près de 15 000 signatures, sont publiées dans les colonnes du quotidien entre le 14 décembre 1898 et le 15 janvier 1899. Elles reflètent la diversité des opinions qui composent la mouvance nationaliste. Quelques écrivains se sont fourvoyés dans cette entreprise : Gyp, François Coppée, Jean Lorrain, Pierre Louÿs ou encore Paul Valéry. La plupart des souscripteurs se contentent d'indiquer leur nom à côté du montant de leur obole. Certains donateurs soulignent avec force leur ferveur patriotique, en faisant l'éloge de l'armée. Mais quelques-uns motivent leur geste en clamant leur haine des juifs, qu'ils souhaitent expulser de France, dont ils veulent « crever les yeux », « couper les jambes », qu'ils aimeraient « pendre », « fumer » comme des « jambons »… D'autres disent leur détestation des

« intellectuels », qu'ils considèrent comme des « décadents » ou des « détraqués ». Un « mémorial de honte », un « répertoire d'ignominies », écrira, plus tard, le dreyfusard Pierre Quillard, lorsqu'il réunira ces listes dans un volume, afin de dénoncer le caractère insupportable de leur discours.

La violence de la campagne antidreyfusarde se manifeste encore dans la série des affiches du *Musée des Horreurs*, réalisée en 1899 par un dessinateur du nom de Victor Lenepveu. Les défenseurs d'Alfred Dreyfus y sont représentés d'une manière abjecte, métamorphosés en animaux grotesques : Zola en cochon (« Le Roi des Porcs »), Picquart en dromadaire, Clemenceau en hyène, Jaurès en éléphant, Scheurer-Kestner en ours, Labori en âne, etc. Face à ce déchaînement, la presse dreyfusarde s'efforce de réagir. Mais elle se montre inférieure dans l'invention des images, ayant du mal à illustrer les idéaux de vérité et de justice qui fondent son combat, tandis que, de l'autre côté, on prend plaisir à travestir les figures de l'ennemi en créatures repoussantes.

L'édifice de la pensée nationaliste va pourtant commencer à se lézarder. De ce lent basculement de l'opinion publique, tel qu'il a pu s'opérer au fil des événements, un exemple nous est fourni par un texte de Marcel Proust qui se trouve dans *Sodome et Gomorrhe*, l'un des volumes d'*À la recherche du temps perdu*. La scène se déroule dans les derniers mois de l'année 1898, au moment précisément où *La Libre Parole* s'apprête à lancer sa fameuse souscription… Le prince de Guermantes se confie à Swann, un dreyfusard de la première heure. Il lui avoue que, sur cette affaire qui divise tant le pays, son opinion a changé. Profondément nationaliste, appartenant à « une famille de militaires », il jugeait impossible que « des officiers pussent se tromper ». On lui avait bien rapporté que « des machinations coupables avaient été ourdies », que « le bordereau n'était peut-être pas de Dreyfus », mais on l'avait rassuré, en même temps, en lui affirmant que « la preuve éclatante de sa culpabilité existait ». Cette preuve, c'était le document forgé par Henry. Or il venait d'apprendre que c'était un faux ! Et alors, en cachette de sa femme, la princesse, dont il respectait les sentiments patriotiques, il s'était mis à lire *L'Aurore*. Ses yeux s'étaient ouverts. Dreyfus était innocent ! Tourmenté par cette découverte, il en avait parlé à son ami, l'abbé Poiré, chez qui, à sa grande surprise, il avait découvert des sentiments analogues. Et il avait pris la décision de lui faire dire « des messes à l'intention de Dreyfus, de sa malheureuse femme et de ses enfants ». En cachette de sa femme, bien entendu, dont il ne voulait surtout pas troubler les pensées ! Mais un jour, comme il demandait à l'abbé Poiré de faire dire une nouvelle messe pour ces malheureux dont le sort le préoccupait tant, ce dernier lui avait répondu que c'était impossible, qu'il était déjà occupé, car on venait de le solliciter pour le même motif. Mais qui donc s'est adressé à vous, demande le prince ? Quelqu'un qui n'appartient pas à « notre milieu » ? Pas du tout, réplique l'abbé Poiré. « Vraiment, il y a parmi nous des dreyfusistes ? », s'exclame le prince. « Vous m'intriguez ; j'aimerais m'épancher avec lui, si je le connais, cet oiseau rare. » Et l'abbé Poiré se trouve forcé de révéler au prince l'identité de cet « oiseau rare » qui n'est autre que la princesse de Guermantes elle-même ! Celle-ci, depuis plusieurs semaines déjà, lisait *L'Aurore* à l'insu de son époux, qu'elle avait précédé dans sa conversion au dreyfusisme…

L'anecdote rapportée dans *Sodome et Gomorrhe* traduit le désarroi des élites parisiennes devant un scandale grandissant. Celles-ci sont sensibles au mouvement d'indignation qui parcourt l'Europe entière dont la presse, dans sa grande majorité, se montre favorable à la cause d'Alfred Dreyfus. Les journaux étrangers ne comprennent pas l'aveuglement dans lequel persistent les Français. C'est dans ce contexte que la Cour de cassation peut entreprendre son œuvre de révision qui, en dépit de nombreuses difficultés, aboutira, le 3 juin 1899, à l'annulation du verdict rendu cinq ans auparavant.

Un argument a pesé sur les consciences : la perspective de la future Exposition universelle qui doit s'ouvrir à Paris. Zola le rappelle. La France, écrit-il, ne peut proposer un tel événement au monde entier sans avoir réglé, au préalable, la question de justice qui lui est posée. « Nous voici arrivés à une échéance de gloire », écrit-il, dans *L'Aurore*, le 12 septembre 1899. « La France a voulu fêter son siècle de travail, de science, de luttes pour la liberté, pour la vérité et la justice. Il n'y a pas eu de siècle d'un effort plus superbe, on le verra plus tard. Et la France a donné rendez-vous chez elle à tous les peuples pour glorifier sa victoire, la liberté conquise, la vérité et la justice promises à la terre. » Ce grand rendez-vous, il s'agit surtout de ne pas le manquer !

De fait, lorsque l'Exposition universelle ouvrira ses portes sur le Champ-de-Mars, en avril 1900, ce sera dans une France relativement apaisée, ayant laissé derrière elle la tourmente de l'affaire Dreyfus : l'innocent injustement condamné vient d'être gracié par le président de la République, tandis que députés et sénateurs s'apprêtent à voter une loi d'amnistie destinée à mettre fin aux procédures judiciaires en cours.

17

La presse quotidienne s'est-elle divisée en deux camps ?

En février 1898, alors que se déroulaient devant la cour d'assises de la Seine, en plein Paris, les séances du procès d'Émile Zola, *L'Aurore* publia dans plusieurs de ses numéros, en première page, ce tableau qui, d'après la rédaction du journal, résumait la nature de l'affrontement auquel on assistait :

Pour la Vérité	Pour l'État-Major
La Petite République	*L'Intransigeant*
Le Radical	*La Libre Parole*
Le Rappel	*L'Écho de Paris*
La Lanterne	*La Gazette de France*
Les Droits de l'Homme	*Le Moniteur universel*
Le Parti ouvrier	*L'Éclair*
Le Libertaire	*Le Soleil*

Pour la Vérité	Pour l'État-Major
La Fronde *Les Temps nouveaux* *L'Aurore*	*Le Peuple français* *Le Gaulois* *La Croix*

Ce tableau était accompagné de la légende suivante : « D'un côté, la République sociale et la libre pensée ; de l'autre, le sabre et le bénitier. » Une situation contrastée, donc. Deux camps. Deux forces dressées l'une contre l'autre. Aucun titre de la presse parisienne ne semble vouloir demeurer en retrait. Chacun affiche ses partis pris.

La classification proposée par *L'Aurore* souligne l'importance d'une presse d'opinion dans un paysage médiatique composé d'un grand nombre de périodiques en concurrence les uns avec les autres, ayant souvent de faibles tirages – chacun s'efforçant de retenir ses lecteurs en jouant sur les ressorts de la polémique. Mais elle ne dessine pas avec exactitude les limites des deux camps en présence. Du côté dreyfusard, elle oublie *Le Siècle* et elle inclut *La Petite République* et *La Lanterne*, de tendance socialiste, pourtant encore timides dans leur engagement, en ce mois de février 1898. Pour la partie antidreyfusarde, elle met en valeur l'opinion extrême, catholique et antisémite, représentée par *La Libre Parole* et *La Croix*. Elle ne mentionne pas *Le Temps*, *Le Figaro*, *Le Matin* ou *Le Journal des débats*, et elle laisse de côté la grande presse d'information, *Le Petit Journal*, *Le Petit Parisien*, *Le Journal* ou *Le Matin*, dont l'hostilité à la cause dreyfusarde ne faisait cependant aucun doute. Ernest Judet, le directeur du *Petit Journal*, écrivait alors des éditoriaux aux accents patriotiques, fondés sur une confiance inébranlable dans l'autorité de l'armée. « L'armée est notre force et a toujours raison », proclamait-il : Dreyfus est forcément coupable, puisqu'il a été condamné par un tribunal militaire.

En donnant l'impression d'une égalité dans le partage des opinions, avec dix titres dans chaque colonne, le tableau de *L'Aurore* ne montre pas la disproportion des forces en présence : du côté dreyfusard, des périodiques de faible diffusion ; et dans le camp adverse, si l'on inclut la presse populaire, des tirages considérables. *Le Siècle*, *Le Rappel*, *Le Radical* atteignent en moyenne 30 000 exemplaires ; *La Fronde*, le journal féminin (dont le premier numéro a été publié le 9 décembre 1897), démarre avec un tout petit tirage de 5 000 à 6 000 exemplaires ; à la suite du succès du « J'accuse », *L'Aurore* connaît, au cours des premiers mois de l'année 1898, des tirages importants, mais sa diffusion retombera ensuite à un niveau plus modeste. En face, *La Libre Parole*, *L'Intransigeant*, *L'Éclair* tournent autour de 80 000 – 100 000 exemplaires. La grande presse d'information pèse d'un poids considérable dans la balance, en raison du chiffre de ses ventes : *Le Petit*

Journal avec plus d'un million d'exemplaires, *Le Petit Parisien* avec 700 000 exemplaires, *Le Journal* avec 450 000 exemplaires. Quant à la presse de province, elle suit le mouvement majoritaire ; le plus souvent, elle se contente de reprendre le contenu des éditoriaux venus de Paris, estimant qu'il n'y a pas lieu de revenir sur le jugement prononcé en 1894.

Forte de sa puissance, certaine de son emprise sur l'opinion, la presse antidreyfusarde amplifie le moindre fait afin de nourrir son récit partisan. Nous avons déjà eu l'occasion d'évoquer de quelle façon elle s'est emparée du mythe de la dame voilée, au moment où Esterhazy a dû se défendre contre les accusations qui le visaient. La légende des aveux constitue un autre exemple de la manière dont une simple rumeur peut se transformer en certitude. Elle est liée à la cérémonie de la dégradation d'Alfred Dreyfus qui s'est déroulée dans la cour de l'École militaire le 5 janvier 1895. En fin d'après-midi, plusieurs journaux du soir, dont *Le Temps*, rapportent des propos que le condamné aurait tenus à Lebrun Renaud, le capitaine de la garde républicaine chargé de l'organisation des opérations : il lui aurait déclaré avoir « livré des documents à l'étranger », mais pour « amorcer et en avoir de plus considérables ». Le lendemain, l'histoire est reprise par la presse du matin. *Le Figaro* l'évoque en jugeant son origine douteuse, mais la plupart des journaux lui accordent un grand crédit. La rumeur se répand ainsi, finit par devenir un fait établi : Dreyfus a avoué ! En dépit d'un démenti apporté par l'agence Havas, elle va se perpétuer, se transformer en élément à charge contre l'accusé. Les généraux Gonse et Mercier s'en serviront pour se défendre lors des dépositions qu'ils seront amenés à faire par la suite, en 1898 et en 1899. Godefroy Cavaignac l'utilisera dans son discours devant la Chambre des députés, le 7 juillet 1898. Et plus tard, au moment des débats entraînés par la seconde révision, la Cour de cassation sera obligée de revenir longuement sur cette histoire (notamment dans le réquisitoire du procureur général Baudoin) pour en démontrer l'inanité.

Zola a dénoncé avec vigueur ce mécanisme de production du faux dans *Vérité*, son dernier roman, publié en 1902, dans lequel il reprend, en le transposant dans un autre univers, le schéma de l'affaire Dreyfus. Son analyse vaut la peine d'être citée, car elle offre un raccourci saisissant du fonctionnement de la presse. Dans la petite ville de province servant de cadre à l'intrigue, où l'instituteur juif Simon est accusé d'un crime qu'il n'a pas commis, les habitants lisent deux journaux, *La Croix de Beaumont* et *Le Petit Beaumontais*. Le premier, catholique et antisémite (fondé sur le modèle de *La Croix*), mène contre le juif Simon une campagne d'une grande violence, conformément aux positions qui ont toujours été les siennes. Mais le second (dans lequel on peut reconnaître *Le Petit Journal*) agit d'une façon plus pernicieuse. Sous couvert d'objectivité, il déforme les faits et répand le mensonge avec autant d'efficacité que son concurrent… « On avait empoisonné ce peuple, des journaux comme *La Croix de Beaumont* et *Le Petit Beaumontais* lui versaient chaque matin l'abominable breuvage qui corrompt et fait délirer. Les pauvres cerveaux enfants, les cœurs sans courage, tous les souffrants et les humbles, abêtis de servage et de misère, sont la proie facile des faussaires et des menteurs, des exploiteurs de la crédulité publique. De tout temps, les maîtres du monde, les Églises, les Empires, les Royautés, n'ont régné sur les cohues de misérables, qu'en les empoisonnant après les avoir volées, en les maintenant dans l'épouvante et la servitude des croyances fausses. » L'influence exercée par *Le Petit Beaumontais* est fondée sur la simplicité de son langage, sur des articles accessibles à tous : « Ce journal s'est répandu d'abord partout, est allé dans toutes les mains, en restant neutre, en n'étant d'aucun parti, simple recueil de romans-feuilletons, de faits divers, d'articles de vulgarisation aimables, à la portée des moindres intelligences » ; il est ainsi devenu « l'ami, l'oracle, le pain quotidien des innocents et des pauvres, de la multitude qui ne peut penser par elle-même ».

La situation a commencé à se modifier avec le coup de théâtre entraîné par l'arrestation et le suicide du lieutenant-colonel Henry, à la fin du mois d'août 1898. Certes, la presse nationaliste ne veut rien entendre. Elle ne tarde pas à transformer Henry en héros qui s'est sacrifié par patriotisme, après avoir lutté pour une noble cause. La logique de la fiction poursuit son emprise sur les esprits. « On avait pris une telle habitude de l'extraordinaire qu'on croyait tout pêle-mêle », commente à ce propos Joseph Reinach. Mais dans certains organes de presse jusque-là hostiles, dans *Le Temps*, *Le Figaro*, ou *Le Matin*, plusieurs voix s'élèvent pour demander la révision du procès d'Alfred Dreyfus, la jugeant indispensable.

Le spectacle offert par le procès de Rennes, l'absurde condamnation qui en est résultée, suivie par la grâce présidentielle, accordée le 19 septembre 1899, changent la donne. Le combat a épuisé les énergies. Puisque le condamné vient de bénéficier d'une grâce, on souhaite désormais tourner la page. Entre les deux positions antagonistes nombreux sont ceux qui plaident en faveur d'un apaisement du conflit. Dans la *Revue de Paris*, le 1er octobre 1899, l'historien Ernest Lavisse demande que chacun fasse le « sacrifice de ses haines ». Il faut oublier, « passer l'éponge »… C'est ce que l'on a nommé l'« épongisme », en utilisant un terme (aujourd'hui disparu des dictionnaires) qui a connu une certaine fortune à cette époque.

Le Temps, *Le Figaro*, *Le Matin* ou *Le Petit Parisien* adoptent cette position intermédiaire et se rangent dans le camp d'une presse « épongiste », tandis que les cohortes de l'antidreyfusisme continuent à bénéficier du soutien de *La Libre Parole*, de *La Croix*, de *L'Intransigeant* et même du *Petit Journal*.

Cette volonté d'apaisement a entraîné le vote de la loi d'amnistie de décembre 1900, à laquelle se sont opposés les dreyfusards les plus détermi-nés, tels que Picquart et Clemenceau, indignés que l'on puisse traiter de la même façon les com-battants de la vérité et des individus coupables de toutes les forfaitures. Mais, l'opinion publique étant lasse du conflit, le compromis voulu par le gouvernement de Waldeck-Rousseau l'a emporté sans trop de difficultés.

La question de l'« épongisme » s'est à nouveau posée en 1903, quand le dossier de l'Affaire a été repris pour être soumis à la Cour de cassa-tion. Fallait-il accepter la solution d'une cassation sans renvoi, c'est-à-dire un jugement réhabilitant le capitaine Dreyfus, mais sans que son cas fût examiné par un ultime conseil de guerre ? Dans ses articles de *L'Aurore*, Clemenceau s'y est vigoureusement opposé, fustigeant les lâchetés du « parti de l'éponge ». « L'homme n'a jamais rien conquis de ses droits en dormant. Attendre la victoire, bras croisés, d'une habileté de procédure, c'est renoncer aux fruits que nous en attendons », écrivait-il dans *L'Aurore* du 9 décembre 1903. Et il ajoutait : « La récompense est autant dans le succès final, plus ou moins longuement contesté, que dans l'exemple et dans l'achèvement de puissance, individuelle ou collective, par lequel nous aurons conquis, avec un droit accru, la volonté et la force de le faire respecter. »

Sa position est restée minoritaire, toutefois, et les dreyfusards, entraînés par Jaurès – partisan d'un compromis raisonnable – ont plaidé pour la solution de la cassation sans renvoi, qui fut finalement adoptée en juillet 1906. Moins vindicatif que Clemenceau, Picquart s'y est résigné : « Comme toujours les gros coupables y ont échappé – écrit-il à une amie, le 3 août 1906 –, mais il faut nous féliciter d'avoir vu enfin réhabilité l'innocent. Le scandale de Rennes avait montré que malgré les efforts faits ce n'était point chose facile. »

Ainsi l'opposition radicale qui avait fracturé l'ensemble de la presse française aboutit-elle, paradoxalement, à l'invention de cette position moyenne à laquelle correspond la notion d'« épongisme ». Il faut, bien sûr, distinguer l'« épongisme » absolu de l'amnistie décidée en décembre 1900 – qui équivaut à un effacement sans discussion – et l'« épongisme » relatif de la réhabilitation intervenue en 1906. En démontant toutes les légendes élaborées au fil des années, le travail considérable accompli par la Cour de cassation a montré l'absurdité des charges retenues contre

Alfred Dreyfus. Cela n'a pas désarmé l'Action française, figée dans un antidreyfusisme éternel, mais la bataille qui s'est déroulée a entamé les positions de *La Libre Parole* de Drumont, dont les tirages connaissent une forte baisse, tombant à 30 000 ou 40 000 exemplaires. Un grand nombre de lecteurs, lassés par l'incohérence de ses campagnes, se sont détournés du quotidien antisémite dont l'étoile a cessé de briller au firmament de la presse nationaliste.

18

Y a-t-il eu une quatrième affaire Dreyfus ?

Ce devait être une sorte d'apothéose : le transfert au Panthéon des cendres d'Émile Zola. L'épilogue d'un si long combat, dans une sérénité enfin acquise. L'innocence d'Alfred Dreyfus avait été reconnue officiellement par la Cour de cassation, le 12 juillet 1906. La décision que l'on avait prise semblait représenter une suite naturelle de cette réparation judiciaire : faire entrer au Panthéon l'auteur de « J'accuse ». On souhaitait rendre un éclatant hommage au romancier, disparu en 1902, qui, par son action, avait symbolisé le combat pour la vérité et la justice.

Mais rien ne s'est déroulé comme on pouvait l'espérer. Les passions n'étaient pas éteintes. L'affaire Dreyfus s'est encore rejouée. Elle a repris, plus violente que jamais, agitée de ses derniers soubresauts, en cette année 1908 qui a vu le transfert des cendres de Zola au Panthéon. À tel point que l'on peut qualifier de « quatrième affaire Dreyfus » les événements qui ont marqué cette période[1].

Tout commence par une interminable séance à la Chambre des députés, le 13 juillet 1906, au lendemain de l'arrêt rendu par la Cour de cassation en faveur d'Alfred Dreyfus. C'est la fin d'une journée d'été, la dernière séance de la session parlementaire avant les vacances qui approchent. Les députés viennent d'adopter deux lois réintégrant dans l'armée Dreyfus et Picquart, le premier avec le grade de commandant, le second comme général de brigade. En dépit de débats mouvementés, une majorité a ratifié les textes qui ont été présentés. C'est alors que le député socialiste de Bourges, Jules-Louis Breton, dépose un projet de loi visant à accorder à Zola l'hommage du Panthéon. Lyrique, il insiste sur le rôle déterminant que joua la publication de « J'accuse » : « Ce fut un éclair formidable qui fit jaillir la lumière ; ce fut le point de départ de la longue et pénible lutte au cours de laquelle Zola ne faiblit pas une seconde, malgré toutes

---

1. L'expression est de Michel Drouin (*Zola au Panthéon. La Quatrième Affaire Dreyfus*, Perrin, 2008). Comme nous l'avons indiqué au début de cet ouvrage, l'affaire Dreyfus a connu trois phases successives, entre 1894 et 1906 : l'arrestation et le procès du capitaine Dreyfus en 1894 ; la relance de l'Affaire au cours des années 1897-1899 ; et la conclusion judiciaire apportée par la Cour de cassation, à partir de 1904.

les injures odieuses et les calomnies abjectes de
la "presse immonde", malgré les invraisemblances
et les répugnantes perfidies de la réaction nationaliste et cléricale. » Surpris par cette intervention
tardive, les représentants de la droite nationaliste
ne réagissent pas. La proposition de loi est adoptée.

Le débat est repoussé à la rentrée parlementaire.
Il se déroule au Sénat, le 11 décembre 1906, en
présence de Clemenceau, qui vient d'être élu président du Conseil. Cette fois, les ténors de la droite
montent au créneau. Les débats prennent un tour
virulent. Une motion d'ajournement est défendue par
le comte Emmanuel de Las Cases. Henri Ponthier
de Chamaillard exhorte ses collègues : « N'envoyez
pas au Panthéon l'homme qui a diffamé la race
française dans tous ses éléments. » Dans le camp
dreyfusard, Eugène Lintilhac, le sénateur du Cantal,
souligne l'immensité de l'œuvre littéraire laissée par
Zola, qu'il qualifie de « maître de la pensée et de
la langue ». Clemenceau demande alors à prendre la
parole. Laissant de côté les arguments qu'il vient
d'entendre, il choisit de livrer son propre témoignage, en rappelant le combat qui a été le sien, au
sein de l'équipe de *L'Aurore*. Improvisant, sous le
coup de l'émotion, il trouve des mots d'une rare
éloquence : « On a trouvé des hommes pour résister
aux rois les plus puissants, pour refuser de s'incliner
devant eux ; on a trouvé très peu d'hommes pour
résister aux foules, pour se dresser tout seuls, devant

les masses égarées trop souvent jusqu'aux pires excès de la fureur, pour affronter, sans armes, les bras croisés, d'implacables colères, pour oser, quand on exige un "oui", lever la tête et dire "non". Voilà ce qu'a fait Zola ! » Et il ajoute encore, en insistant : « Voilà ce qu'il a fait cet homme. Il a affronté son temps, il a affronté son pays… Il a affronté son gouvernement ; il eût affronté l'humanité tout entière pour la justice et la vérité. » Grâce à son discours, Clemenceau emporte l'adhésion de l'assemblée. La loi est finalement approuvée par le Sénat.

Il faut attendre le mois de mars 1908 pour que le débat rebondisse à la Chambre des députés à l'occasion de la discussion sur le vote des crédits nécessaires à la translation des cendres. C'est Maurice Barrès qui s'illustre, en cette circonstance. Il a déjà fait connaître, à plusieurs reprises, son hostilité à l'hommage que l'on veut rendre à celui qu'il considère comme un Italien, un « déraciné », étranger aux valeurs de la pensée française. La tribune de la Chambre lui donne l'occasion de reprendre ses arguments. L'atmosphère est houleuse. Il est interrompu à de nombreuses reprises par les différentes réactions que provoque son intervention (protestations sur les bancs de la gauche, rires ou applaudissements du côté de la droite) : « L'homme que vous allez canoniser a consacré sa carrière à peindre dans de vastes fresques les diverses classes de notre nation. Il a décrit, dans *La Terre*, le paysan : dans *L'Assommoir*, l'ouvrier ; dans *Le Bonheur des dames*, l'employé de magasin ; dans *Pot-Bouille*, le bourgeois, et, dans *La Débâcle*, le soldat. Ces vastes panoramas, exécutés en trompe-l'œil, ont la prétention de nous donner la vérité ; ils sont au contraire, par abus du pittoresque, mensongers et calomnieux. Quel mal ils nous ont fait hors de France ! Il faut avoir passé à l'étranger pour connaître la difficulté qu'éprouvent nos amis à défendre la réputation de nos mœurs. L'œuvre de Zola a servi dans le monde entier à méconnaître les vertus de notre société. »

Louis Buyat, le rapporteur de la loi, s'efforce de défendre le romancier, mais ses paroles ne portent guère. C'est alors que Jaurès décide d'intervenir. Sa réponse à Barrès constitue le point d'orgue de cette séance parlementaire. Afin de rallier les députés à sa cause, Barrès s'est appuyé sur l'image de Victor Hugo, s'indignant que l'on puisse placer les cendres de Zola dans le caveau même où repose l'auteur des *Misérables*, inhumé au Panthéon le 1ᵉʳ juin 1885, quelques jours après sa mort. En répliquant, Jaurès défend, à son tour, l'héritage hugolien. Il rappelle les idéaux de progrès et de justice sociale qui s'attachent au mouvement romantique. Et il montre que l'auteur de *Germinal* mérite les mêmes honneurs que ceux que l'on a jadis rendus à l'auteur des *Misérables* : « La gloire de Zola, son honneur, c'est de n'avoir pas conçu l'art à la façon de M. Barrès, comme une sorte d'étang mélancolique et trouble, mais comme un grand fleuve qui emporte avec lui tous les mélanges de la vie, toutes les audaces de la réalité. C'est là ce que le peuple, avec son instinct, a reconnu dans l'œuvre de Zola, dans le chercheur de vérité, dans le compagnon de bataille. » Défendant une vision de la nation qui s'oppose à celle de Barrès, Jaurès entraîne l'adhésion de l'assemblée en montrant qu'il ne faut pas « mutiler la tradition de la patrie » : si Émile Zola est digne d'incarner une telle tradition, déclare-t-il, c'est qu'il n'a pas séparé « l'art et la vie », mais a su les réunir « dans la passion de la vérité ».

Les crédits étant finalement accordés, la panthéonisation, plusieurs fois repoussée, peut enfin se dérouler, le 4 juin 1908. À cette date, Zola est le quatrième écrivain à bénéficier d'un tel hommage : après Voltaire et Rousseau inhumés au cours des années tumultueuses de la Révolution française, en 1791 et en 1794 ; et après Hugo, en 1885.

C'est sous un soleil éclatant, par une belle matinée du mois de juin, que s'ouvre la cérémonie. Le cercueil de l'écrivain repose dans la nef centrale du monument, juché sur un immense catafalque, entouré de couronnes de fleurs. Armand Fallières, le président de la République, est présent, aux côtés de Clemenceau, le chef du gouvernement, et de Picquart, devenu ministre de la Guerre. On joue *La Marseillaise* puis le prélude du *Messidor* d'Alfred Bruneau et la marche funèbre de la *Symphonie héroïque* de Beethoven avant que le ministre de l'Instruction publique, Gaston Doumergue – l'unique orateur prévu –, n'exalte l'héroïsme de l'auteur de « J'accuse ». L'assistance écoute encore le finale de la *Neuvième Symphonie* de Beethoven ainsi que le *Chant du départ*. La cérémonie se termine par un défilé de troupes devant le Panthéon, en face des personnalités officielles.

Au même moment, deux coups de feu retentissent à l'intérieur du bâtiment : ils ont été tirés sur Alfred Dreyfus, qui est blessé au bras et à l'épaule. L'auteur de l'attentat, immédiatement appréhendé, est un journaliste du nom de Louis Grégori. Il se présentera comme un « fervent patriote », déclarant n'avoir pu supporter l'humiliation infligée à l'armée française. Son geste fait écho aux cris des manifestants hostiles, massés aux alentours, qui, depuis la veille, tentent, par tous les moyens, d'empêcher la cérémonie. Les forces nationalistes, animées par les militants de l'Action française, dénoncent l'honneur rendu à Zola l'« Italien », le « pornographe », le romancier « sans patrie ». Trois mois plus tard, en septembre, le procès de Grégori devant la cour d'assises de la Seine leur fournira l'occasion de poursuivre leur campagne de presse, et le jury, influencé par leur discours « patriotique », prononcera une sentence d'acquittement. Pour se défendre, Grégori a prétendu qu'il n'avait pas voulu tirer sur Alfred Dreyfus, mais sur le « dreyfusisme » ! Dix ans après avoir condamné l'auteur de « J'accuse », une même cour d'assises, en plein Paris, acquitte l'homme qui a voulu abattre Dreyfus...

Débats virulents dans la presse et au Parlement, manifestations de rue, attentat et procès en cours d'assises de Grégori – l'année 1908, avec ses diverses péripéties, voit se rejouer tous les mécanismes polémiques de l'affaire Dreyfus. Ceux qui s'insurgent alors, au nom de leur idée de la patrie, veulent réviser l'arrêt rendu par la Cour de cassation en 1906. Ils refusent de voir dans cet arrêt une conclusion juridique, car ils soutiennent qu'en annulant le jugement de 1899 sans prononcer de renvoi devant une juridiction ultérieure, la Cour de cassation a violé l'article 445 du Code d'instruction criminelle qui imposait un nouveau procès.

Charles Maurras incarne ce mouvement d'opinion dont l'emprise est grandissante sur le milieu des intellectuels. Signe de cette influence, le 21 mars 1908, il peut lancer le premier numéro du quotidien *L'Action française*, issu de la revue qu'il a fondée neuf ans plus tôt. Pour lui, l'Affaire ne sera jamais terminée. Elle le poursuivra jusqu'à la fin de son existence, jusqu'à ce jour de janvier 1945 où, condamné à la réclusion à perpétuité en raison de son soutien apporté au régime de Vichy, il s'exclamera, en apprenant la sentence : « C'est la revanche de Dreyfus ! »

19

L'affaire Dreyfus ressemble-t-elle à l'affaire Calas ?

Les dreyfusards sont des enfants de Voltaire. Leur défense des droits de l'homme provient de la pensée des Lumières. Elle s'inspire directement du *Traité sur la tolérance* publié par Voltaire en 1763, appelant tous les hommes à mettre fin à leurs querelles religieuses. « Puissent tous les hommes se souvenir qu'ils sont frères ! Qu'ils aient en horreur la tyrannie exercée sur les âmes ! », s'exclame Voltaire à la fin de son *Traité*, dans une « prière à Dieu » tournée vers un Dieu qui n'est ni celui des catholiques ou des protestants, ni celui des juifs ou des musulmans, mais un « Dieu de tous les êtres, de tous les mondes et de tous les temps ». Fruit de la victoire politique obtenue par le camp dreyfusard, la loi de 1905, imposant la séparation entre l'Église et l'État, repose sur les principes de tolérance religieuse défendus par Voltaire.

Mais ce lien entre la pensée de Voltaire et le combat des dreyfusards n'est pas seulement d'ordre idéologique. Il est fondé également sur le rôle qu'a joué l'exemple de l'affaire Calas dans la perception que les défenseurs du capitaine Dreyfus ont eue de l'injustice commise. L'affaire Calas, c'est une affaire Dreyfus transportée sous le règne de Louis XV. Son déroulement, dans la seconde moitié du XVIIIᵉ siècle, offre bien des similitudes avec ce qui aura lieu un siècle plus tard.

Rappelons les faits, en quelques mots. Un soir du mois d'octobre 1761, à Toulouse, Jean Calas dîne en famille, dans son domicile de la rue des Filatiers. C'est un honnête commerçant, de religion protestante. Mais la soirée se termine d'une manière tragique. Marc-Antoine, l'un des fils de Calas, est retrouvé sans vie dans la boutique du rez-de-chaussée. Emprisonné, accusé d'avoir tué son fils parce qu'il voulait se convertir au catholicisme, Jean Calas clame son innocence. Un arrêt du parlement de Toulouse, le 9 mars 1762, le condamne à la peine capitale. Le 10 mars, sur l'une des places de la ville, le malheureux est soumis au supplice de la roue avant d'être exécuté. Son corps est ensuite brûlé sur un bûcher, ses cendres dispersées au vent.

Tels sont les événements qui parviennent à la connaissance de Voltaire, à la fin du mois de mars. Ce dernier décide immédiatement de lutter pour la réhabilitation du condamné. Dans les mois qui suivent, il multiplie les écrits. Il rassemble les éléments du procès dans une brochure intitulée *Pièces originales concernant la mort des sieurs Calas et le jugement rendu à Toulouse*, publiée en juillet 1762. Vient ensuite un opuscule, en août, intitulé *Histoire d'Élisabeth Canning et des Calas*, qui, en présentant le récit de deux affaires judiciaires, a pour but de comparer le fonctionnement de la justice en France et en Angleterre. D'autres libelles suivent encore. L'action entreprise est efficace. En mars 1763, le Conseil du roi autorise que l'on puisse faire appel du jugement rendu par le parlement de Toulouse. Le texte du *Traité sur la tolérance* paraît au même moment, donnant encore plus d'ampleur à la cause défendue. Et après diverses péripéties judiciaires, la réhabilitation de Jean Calas intervient finalement en mars 1765, à la suite d'une décision prise par le Conseil du roi.

Lorsqu'ils se lancent dans leur combat, en novembre 1897, les premiers dreyfusards se souviennent de l'exemple de Voltaire. Joseph Reinach, qui a conseillé à Scheurer-Kestner de se pencher sur l'histoire de l'affaire Calas, l'appelle affectueusement « Mon cher Arouet », dans les lettres qu'il lui adresse. Le 13 décembre, sous le titre « Dreyfus et Calas », *L'Aurore* donne, en première page, des extraits de lettres de Voltaire, qu'elle accompagne de ce commentaire, en faisant allusion aux diatribes lancées contre le « syndicat juif » : « Si "du haut du ciel, sa demeure dernière", Voltaire a lu les journaux de ces dernières semaines, il a dû trouver que les articles des défenseurs de Dreyfus ressemblent singulièrement aux lettres qu'il écrivait, lorsqu'il était payé par le syndicat Calas pour plaider l'innocence du condamné. » À partir du 6 janvier 1898, le journal *Le Siècle* publie en feuilleton le récit entier de l'affaire Calas, sous la plume d'Armand Fouquier.

Un événement d'une nature singulière a inscrit le nom de Voltaire, avec celui de Rousseau, dans l'actualité du mois de décembre 1897. Il est lié à une question qui a traversé la presse : dans la crypte du Panthéon, les cercueils de Voltaire et de Rousseau contiennent-ils les restes des deux grands écrivains, ou bien les ossements ont-ils disparu lors des troubles qui ont accompagné le retour des Bourbons, en 1814, lorsque le bâtiment a été rendu au culte catholique ? Des rumeurs courent à ce sujet. On veut connaître la vérité. Une commission sénatoriale est chargée de percer le mystère. Présidée par Ernest Hamel, sénateur de Seine-et-Oise, elle compte parmi ses membres l'académicien Jules Claretie, le sénateur Marcelin Berthelot, membre de l'Académie des sciences, ainsi que des médecins et des journalistes. Et elle décide de procéder à l'examen des sépultures. Avec toute la solennité requise, l'opération se déroule au Panthéon, le 18 décembre 1897. Les membres de la commission pénètrent dans la chapelle qui abrite le sarcophage de Voltaire. Le cercueil est ouvert. Des ossements apparaissent, que l'on examine avec attention. On procède à l'identification. Le crâne, dont on a rapproché le sommet et le maxillaire inférieur, permet de retrouver sans aucune hésitation la figure décharnée du vieillard, célèbre par les tableaux ou les sculptures qui l'ont si souvent représentée. Les invités conviés à la cérémonie reçoivent l'autorisation de défiler devant le cercueil ouvert. L'un d'entre eux se penche avec dévotion comme pour s'emparer d'une relique : on doit l'avertir qu'il convient de ne rien emporter ! La même opération, répétée sur le cercueil de Rousseau, se révèle également positive. Tous respirent. La polémique est close. Les restes glorieux peuvent reposer en paix sous les voûtes du Panthéon.

En tant qu'ancien président de la Société des gens de lettres, Zola faisait partie, semble-t-il, des personnalités invitées[1]. Comme tous ceux qui participaient à cette étrange cérémonie, il a pu méditer devant ce tombeau ouvert. Dans le surprenant parcours qu'accomplissent les destinées littéraires, que retiendra-t-on de Voltaire ? Le souvenir de l'auteur des *Contes* et du *Dictionnaire philosophique*, ou celui du défenseur de Calas,

---

1. C'est ce qu'indique l'un de ses biographes, Matthew Josephson, dans *Zola and his Time*, un ouvrage publié en 1928.

de Lally-Tollendal et du chevalier de la Barre ?
Une œuvre qui a su explorer toutes les formes
de la création artistique, ou ce combat accompli
au soir d'une vie de labeur en faveur d'innocents
condamnés par la justice de leur pays ?

Plusieurs raisons conduisent à établir un rap-
prochement entre l'affaire Dreyfus et l'affaire
Calas. Si l'on analyse ce moment si particulier de
l'adhésion qui conduit un intellectuel à s'engager,
à s'extraire de son confort habituel pour se lancer
dans l'action, on découvre, chez Zola comme chez
Voltaire, la même émotion, la même réaction passionnée, qui les pousse à prendre les plus grands
risques, au mépris de tous les conseils de prudence. Zola s'engage parce que l'histoire d'Alfred
Dreyfus lui apparaît comme un drame humain
exceptionnel. Il réagit en romancier, fasciné par le
scénario qui s'offre à sa réflexion. D'autres affaires
judiciaires présentant des situations d'injustice
possibles ont pu laisser Voltaire indifférent. Mais
quand on lui apprend les détails du martyre de
Calas, il ressent une profonde émotion. Il reçoit
chez lui, à Ferney, Donat, le fils de Calas. Et il
pleure en sa compagnie, en écoutant le récit qu'on
lui fait. L'affaire Calas s'empare de son esprit ;
elle ne le quittera plus désormais ; il vivra avec
elle pendant plusieurs années, comme le montre
sa correspondance : selon son expression, elle a
« saisi toutes les puissances de son âme ».

L'écriture surgit de l'émotion. De sa « Lettre au président de la République » (titre originel de « J'accuse »), Zola dira : « Elle est sortie de moi en un cri. » Le même terme se retrouve dans la correspondance de Voltaire, qui alerte tous ses amis pour les informer sur le sort de Calas : il veut, dit-il, « soulever l'Europe entière et que ses cris tonnent aux oreilles des juges ».

La démarche qui fonde les deux engagements repose sur la conviction qu'un but précis peut être atteint : réhabiliter la mémoire de Calas ; sortir Dreyfus de sa prison. L'action qui est menée prend l'opinion publique à témoin. Elle s'exerce contre une institution judiciaire (le parlement de Toulouse, ou les tribunaux militaires) qui ne respecte pas les droits de l'accusé et se trouve soumise à des préjugés d'ordre religieux.

Ce que Voltaire et Zola parviennent à réaliser, grâce à leurs écrits, c'est transformer une histoire particulière en exemple édifiant. Ils réussissent à créer un *mythe*. Devant leurs lecteurs, ils dressent la figure d'un martyr innocent dont la pureté ne saurait être contestée. Calas et Dreyfus apparaissent comme deux victimes ayant affronté leur sort avec le courage le plus éclatant – qu'il s'agisse des souffrances de Calas, torturé jusqu'à la mort, ou de celles qu'endure Dreyfus, dégradé dans la cour de l'École militaire, pendant que la foule l'injurie. Dans les deux cas, une famille solidaire soutient les victimes, témoignant de la force de la cause qui l'anime. Chez les Calas, le groupe familial est composé de la veuve du condamné et de ses fils, Pierre et Donat. Du côté de Dreyfus, il est formé par la femme du capitaine, ses deux enfants, son frère Mathieu, qui a décidé de consacrer toute son énergie au combat pour la révision du procès.

Le combat intellectuel qui est mené se déploie au-delà des différences religieuses. Il dépasse les considérations partisanes : Voltaire n'est pas protestant, Zola n'est pas juif. Transcendant les religions existantes, il plaide pour une pensée de l'universel, défendant les droits de l'homme.

Dira-t-on que Voltaire et Zola ont bien *choisi* l'innocent qu'ils voulaient défendre ? En écrivains, conscients du rôle que peut jouer l'opinion publique quand une affaire judiciaire est exposée sur la place publique, ils savaient que les idées qu'ils défendaient s'appuyaient sur l'exemple d'un drame exceptionnel, compréhensible par tous. L'opposition entre le bien et le mal, entre le juste et l'injuste s'y lisait clairement. Ils en avaient besoin pour construire leur démonstration narrative. Ils ne pouvaient se contenter d'une innocence incertaine.

20

Les dreyfusards ont-ils su parler de leur combat ?

Précipités dans le tourbillon des événements, les grands acteurs du mouvement dreyfusard ont souhaité, très tôt, s'inscrire dans le récit des événements qu'ils avaient vécus afin de les extraire du chaos où leurs contemporains avaient le sentiment d'être plongés. Ils ont voulu aller au-delà de la simple réaction ponctuelle pour donner à leur pensée l'expression achevée qu'implique un ouvrage imprimé. Sous différentes formes, Jaurès, Clemenceau, Zola, Reinach, Dreyfus lui-même, ou encore des représentants de la jeune génération tels que Péguy ou Halévy, ont apporté leur propre contribution à l'édifice mémoriel qu'il s'agissait de construire et dont ils ressentaient la nécessité.

Jaurès est le premier à le faire avec le volume des *Preuves*, publié en octobre 1898. Pendant tout l'été, il a publié dans *La Petite République* une série d'articles montrant l'absurdité des charges pesant contre Dreyfus. Par une extraordinaire intervention du destin, le suicide d'Henry, le 31 août, vient de démontrer, aux yeux de l'opinion publique, la force de sa réflexion. Acculé, le gouvernement présidé par Henri Brisson a demandé à la Cour de cassation de se saisir du dossier. C'est ce qui permet à Jaurès de réunir ses articles en un volume cohérent qui peut anticiper sur la suite des événements et espérer, en dépit des difficultés, qu'une solution sera apportée à la crise qui est ouverte.

Clemenceau se trouve dans la même situation, quelques mois plus tard, lorsqu'il rassemble, au début de l'année 1899, le premier volume de ses chroniques données à *L'Aurore* sur l'affaire Dreyfus. Titre : *L'Iniquité*. Dans la préface, il adopte un ton personnel. Il explique qu'il a été convaincu tardivement de l'innocence d'Alfred Dreyfus et qu'il lui a fallu attendre les débats du procès Zola pour en être persuadé. Mais il tient à souligner la valeur exemplaire du combat qui se livre : le condamné est devenu « un vivant symbole » des « défaillances » d'une nation. « Ce représentant passager d'une justice humaine injuste apparaît soudain comme le synthétique témoin de toutes les iniquités du passé. » Six autres volumes suivront jusqu'en 1903, animés par la même volonté de défendre l'idéal d'une justice dont les principes ont été bafoués : *Vers la réparation, Contre la justice, Des juges, Justice militaire, Injustice militaire, La Honte*. En tout, plus de 3 300 pages.

L'année 1901 est marquée par trois publications essentielles : en février paraît *La Vérité en marche* d'Émile Zola, que suivent, au mois de mars, le premier tome de la grande fresque historique élaborée par Joseph Reinach et, en mai, le témoignage d'Alfred Dreyfus, intitulé *Cinq années de ma vie*. Les auteurs peuvent prendre du recul : la tourmente de l'Affaire se trouve derrière eux ; une loi d'amnistie a été votée en décembre 1900, offrant un dénouement provisoire.

Zola rassemble les textes qu'il a écrits sur l'affaire Dreyfus entre novembre 1897 et décembre 1900 : sa campagne initiale, faite dans le cadre du *Figaro*, les deux brochures qui ont suivi (la *Lettre à la jeunesse* et la *Lettre à la France*) et la série de ses articles publiés, par la suite, dans *L'Aurore*, dont le « J'accuse ». Dans la préface, il s'explique sur ses intentions : « Lorsqu'un écrivain a porté des jugements et pris des responsabilités, dans une affaire de cette gravité et de cette ampleur, le strict devoir est pour lui de mettre sous les yeux du public l'ensemble de son rôle, les documents authentiques, sur lesquels il sera permis seulement de le juger. » Il souhaite, dit-il, apporter « une contribution au dossier en formation de l'affaire Dreyfus », des « documents » liés à son « action personnelle », dont il a voulu « laisser le recueil à l'histoire, à la justice de demain ».

C'est un témoignage du même ordre qu'entend livrer Alfred Dreyfus. Son récit tire sa force des documents personnels qu'il propose. Au cœur de l'ouvrage se trouve le texte du journal écrit à l'île du Diable entre avril 1894 et septembre 1896 : le compte rendu poignant des jours écoulés et des humiliations quotidiennes, dans le grand silence d'un enfermement qui semblait ne jamais devoir prendre fin. Précédant le journal, une première partie raconte l'arrestation et le procès, tandis qu'une dernière partie évoque la période cor-respondant à la révision entreprise par la Cour de cassation, jusqu'au retour en France, sur le croiseur *Sfax*, d'un condamné à qui l'on a rendu son uniforme d'officier et qui découvre progressi-vement l'ampleur d'une tragédie dont il a été le centre. Elles s'appuient, l'une et l'autre, sur des extraits de la correspondance échangée avec Lucie. Le commentaire est sobre, les faits sont énumérés dans une stricte chronologie. Alfred Dreyfus ne cherche pas à se poser en martyr, mais il veut faire comprendre à ses lecteurs quelles ont été ces années au cours desquelles il a été « retranché du monde des vivants », comme il le déclare dans la brève dédicace à ses enfants, placée en tête du livre.

Toute autre est l'entreprise de Joseph Reinach. Avec le premier tome de son histoire de l'Affaire, intitulé *Le Procès de 1894*, Reinach s'engage dans une opération de longue haleine. Désireux de dépasser le point de vue partisan pour atteindre la rigueur de l'historien, il ambitionne de faire la synthèse des événements pour en livrer un récit aussi détaillé que possible. Il s'appuie sur une importante documentation, utilisant notamment les mémoires inédits de Scheurer-Kestner et de Mathieu Dreyfus auxquels il a eu accès. Il s'est même déplacé à Berlin pour interroger Schwartzkoppen, l'ancien attaché militaire allemand en poste à Paris. Dans une langue nourrie par la lecture des historiens grecs et latins, aux formules inspirées par la concision d'un Polybe ou d'un Tacite, il reconstitue l'enchaînement dramatique des épisodes, évoque les affrontements, présente les différents acteurs, en dessinant leur portrait et en sondant leurs motivations. Après l'accueil favorable accordé au premier tome, les volumes vont se succéder régulièrement jusqu'en 1908 : *Esterhazy* ; *La Crise* ; *Cavaignac et Félix Faure* ; *Rennes* ; *La Révision*. Chaque tome comprend entre 600 et 700 pages. Des annexes complètent l'exposé. Un grand index récapitulatif couronnera l'édifice, en 1911. Reinach a gagné son pari. Son ouvrage constituera désormais la référence indispensable de tous ceux qui voudront pénétrer dans les méandres de l'Affaire.

En face, en parfaite opposition (sur le fond comme sur la forme), se dressera la contre-histoire élaborée par l'Action française : le *Précis de l'affaire Dreyfus* d'Henri Dutrait-Crozon, dont la première édition sort au début de l'année 1909. L'ouvrage, qui servira de bréviaire à tous les militants du mouvement nationaliste, a été rédigé par deux officiers, le colonel Georges Larpent et le commandant Frédéric Delebecque, qui se dissimulent sous le pseudonyme de Dutrait-Crozon. Les auteurs soutiennent la thèse de la culpabilité de Dreyfus. À leurs yeux, Esterhazy n'était qu'un « homme de paille » que l'on a substitué au véritable coupable.

Grands lecteurs de Reinach, Daniel Halévy et Charles Péguy réagissent, à leur tour, dans les *Cahiers de la quinzaine*, en 1910, le premier avec l'*Apologie pour notre passé*, le second avec *Notre jeunesse*. En 1898, âgés de 25 ou 26 ans, ils ont jeté dans la lutte toutes les forces de leur jeunesse. Quelle leçon peuvent-ils tirer, dix ans plus tard ? Péguy se montre impitoyable envers les politiciens qu'il accuse d'avoir trahi l'idéal dreyfusard, en profitant de la victoire acquise. Moins pessimiste, Daniel Halévy souligne ce mouvement d'adhésion qui a porté toute une génération de jeunes intellectuels : « Rien n'était moins doctrinaire que notre union. Elle était surtout constituée par le plaisir que nous éprouvions à causer, par la confiance qui nous aidait à trouver les uns pour les autres les expressions de nos pensées. Rapprochés par un éloignement commun pour toutes les sectes, il semble que nous évitâmes assez bien le péril de nous constituer en secte contre les sectes. »

La Première Guerre mondiale et ses millions de morts introduisent une rupture dans la continuité des témoignages. Au milieu des années 1920, l'Affaire est devenue un souvenir lointain pour les jeunes générations, un événement que l'on évoque sans en connaître véritablement le contenu. La plupart de ses acteurs majeurs ont disparu : Scheurer-Kestner, Émile Zola, Bernard Lazare, Picquart, Jaurès, Péguy, Du Paty de Clam, Mercier, Barrès, Esterhazy… C'est pour lutter contre cette perte de la mémoire que Louis Leblois[1] rassemble une documentation considérable dont l'ambition est de compléter l'*Histoire* de Reinach en livrant les archives judiciaires de l'Affaire, du procès de 1894 à l'œuvre de réhabilitation conduite par la Cour de cassation. L'ouvrage, de plus de 1 000 pages, paraît en 1929 sous le titre : *L'Affaire Dreyfus. L'Iniquité. La Réparation. Les principaux faits et les principaux documents*. En rassemblant les grandes pièces d'un dossier complexe dont il analyse la logique interne, Leblois veut montrer le cheminement d'un processus historique qui, en dépit de la gravité des fautes commises, s'est achevé sur la

---

1. En juillet 1897, il avait joué un rôle déterminant en transmettant à Scheurer-Kestner les informations que lui avait communiquées Picquart.

victoire de la justice. La leçon qu'il tire de tant de souffrances accumulées est empreinte d'optimisme : « Le spectacle d'une lutte désintéressée pour la justice suffit à éveiller, dans les cœurs généreux, un vif désir de dévouement ; mais une connaissance exacte des forces et des desseins opposés, une vue claire des combats livrés, fortifient encore ce désir, en montrant comment un noble but peut être atteint, un grand idéal réalisé. »

À la rigueur positiviste de l'ouvrage composé par Louis Leblois s'oppose le ton personnel qu'adoptent les *Souvenirs sur l'Affaire* de Léon Blum, publiés quelques années plus tard, en 1935. Blum reprend en volume une série d'articles donnés à l'hebdomadaire *Marianne*. Il ne prétend pas faire œuvre d'historien. À la différence de Leblois, il ne s'est pas plongé dans des documents d'archives, mais il livre de simples souvenirs, dont la liberté d'allure est revendiquée. La disparition d'Alfred Dreyfus, le 12 juillet 1935, lui donne l'occasion de faire un retour sur sa jeunesse passée. Il souhaite « s'épancher librement », comme il le déclare dans la préface, en ajoutant qu'il n'a pas modifié le texte initial de ses articles, mais qu'il s'est contenté de corriger, en note, quelques erreurs factuelles qui lui ont été signalées. L'intérêt de son ouvrage réside dans la galerie de portraits qui est offerte au lecteur. Les figures du passé revivent sous la plume du chroniqueur, saisies dans leurs attitudes singulières et leurs réactions face aux événements. Défilent ainsi Lucien Herr, Maurice Barrès, Anatole France, Jaurès, Clemenceau ou encore Zola. Blum souligne l'extraordinaire capacité de résistance dont ont fait preuve les antidreyfusards pour nier l'évidence et rejeter la vérité. Il s'interroge sur les aspects mystérieux de l'Affaire, voyant dans le lieutenant-colonel Henry le principal responsable de la machination qui s'est nouée. Aucun manichéisme, cependant, dans la réflexion proposée. Les questions l'emportent sur les certitudes. Celui qui deviendra bientôt le chef du gouvernement du Front populaire médite sur les bouleversements de l'Histoire. Il sait qu'il doit se préparer à de nouveaux combats, dans une Europe en crise que menace la montée du nazisme.

21

La littérature
s'est-elle intéressée
à l'affaire Dreyfus ?

La littérature s'est-elle emparée de l'affaire Dreyfus ? À cette question on peut répondre, d'emblée, qu'elle a eu beaucoup de mal à le faire. C'était pourtant un beau sujet. Rien n'y manquait, ni l'intensité du drame, ni la diversité des personnages. Mais plusieurs obstacles se présentaient. La complexité des événements, d'abord. Quels aspects de l'Affaire fallait-il retenir ? Les sombres machinations ourdies par Henry et Du Paty ? Les coups d'éclat tentés par le sinistre Esterhazy ? Le long et difficile combat des intellectuels ? Les dissensions au sein des familles – ces amitiés brutalement rompues, sans espoir de retour ? Ou la détresse de l'innocent relégué sur une île lointaine ? À cela s'ajoutait, pour beaucoup d'écrivains, le sentiment qu'il n'était pas possible d'exploiter à des fins littéraires une crise aussi grave, impliquant l'ensemble de la société française. C'est ce que pensait Zola, par exemple. Entré dans le combat dreyfusard avec l'idée qu'il pourrait, un jour, en devenir le chroniqueur attentif, parce que la réalité lui apportait un scénario hors du commun dont il devait se saisir, il est revenu ensuite sur cette position. Peu après son retour d'exil, il déclarait, en juillet 1899, à un journaliste qui l'interrogeait à ce propos : « L'exploitation, par moi, de l'affaire Dreyfus, serait basse et vilaine. [...] *Jamais je n'écrirai ni un roman, ni une pièce sur l'affaire Dreyfus.* Maintenant, peut-être, en quelques pages, résumerai-je un jour mes impressions personnelles pendant mes procès ou pendant mon exil. Ces notes seront ma contribution à l'Histoire. Je les destinerai aux auteurs qui, dans cinquante ans, par exemple, lorsque le recul se sera produit, voudront étudier les événements de notre époque sous leur véritable aspect. » La parole était donc laissée aux historiens, et notamment au premier d'entre eux, Joseph Reinach.

Que restait-il aux romanciers ? Une tâche importante, malgré tout. Poser le décor, faire revivre les témoins, souligner le bouleversement qui s'était emparé des esprits. C'est ce qu'a réalisé Anatole France dans *L'Anneau d'améthyste* et *M. Bergeret à Paris*, parus en 1899 et en 1901 – les deux derniers tomes d'une tétralogie intitulée *Histoire contemporaine*. L'action des romans d'Anatole France se déroule en province, en 1897-1898, avant de se poursuivre à Paris, en 1899-1900. Au centre de l'intrigue se trouve un universitaire, M. Bergeret, individu d'abord falot, mais dont l'autorité morale s'affirme progressivement au fil des épisodes. Observateur des luttes sociales, Bergeret est un témoin attentif, porte-parole de l'auteur – l'incarnation même de l'intellectuel dreyfusard. Mais Anatole France ne propose aucune reconstitution directe des événements de l'Affaire. Il les laisse au second plan, se contentant d'en faire l'un des éléments, parmi d'autres, de cette « histoire contemporaine » dans laquelle sont plongés ses personnages.

Au même moment, Marcel Proust fait le choix inverse, lorsqu'il se met à écrire *Jean Santeuil*. Il a suivi avec passion les audiences du procès d'Émile Zola, en février 1898. Dans son roman, il reconstitue longuement certaines scènes, soucieux de dessiner les grands acteurs du drame – l'aisance du lieutenant-colonel Picquart s'avançant au milieu d'une assistance hostile, ou la majesté du général de Boisdeffre, chef d'état-major de l'armée, incarnant dans sa personne toute la puissance de l'autorité militaire. Mais, comme on le sait, *Jean Santeuil* demeurera une œuvre inachevée (dont on ne connaîtra le texte qu'en 1952), et quand il se lancera dans la grande œuvre de son existence, *À la recherche du temps perdu*, Proust renoncera à sa tâche d'historien pour adopter la même perspective qu'Anatole France. L'Affaire traverse la *Recherche* ; le lecteur en perçoit les effets sur les comportements des personnages dans *Le Côté de Guermantes* et *Sodome et Gomorrhe* ; mais aucune séquence majeure ne lui est consacrée. Dans *Le Côté de Guermantes*, elle constitue, par exemple, le cadre chronologique de la longue discussion qui se déroule dans le salon de Mme de Villeparisis entre Bloch et M. de Norpois. Le lecteur comprend que l'intrigue se situe au moment du procès Zola de février 1898, mais la reconstitution qu'offrait *Jean Santeuil* ne lui est pas proposée.

À la différence de l'article de journal, le récit romanesque ne s'engage pas directement. Sa progression n'est pas soutenue par un raisonnement méthodique privilégiant l'explication de la vérité. Ce qui l'intéresse, c'est l'hésitation, l'erreur ou le mensonge. C'est pourquoi il s'ouvre plus volontiers à la parole antidreyfusarde qu'à la parole dreyfusarde, tout en jouant sur les effets de mise à distance que permet le point de vue narratif. Lorsqu'ils défendent des thèses dreyfusardes, d'ailleurs, les personnages ne s'avancent pas en triomphateurs, mais tâtonnent ou sont saisis de doute. Fondé sur un moteur qui lui est propre (la peinture psychologique), le roman s'intéresse plus aux causes expliquant les positions des personnages qu'à ces positions elles-mêmes. Anatole France peut ainsi récupérer l'actualité du moment au sein d'une intrigue romanesque dont l'objet était primitivement la satire du cléricalisme. La possibilité d'un discours antidreyfusard enrichit singulièrement les personnages de cléricaux ou de réactionnaires bornés qu'il veut décrire. Un tel mécanisme séduit également Proust, qui souhaite montrer comment l'opinion sociale se recompose, en se métamorphosant : chez Swann ou Bloch, dreyfusards à cause de leur origine juive ; chez Robert de Saint-Loup, d'abord dreyfusard, en raison de son amour pour la juive Rachel, puis revenant ensuite à l'antidreyfusisme, parce qu'il est militaire ; chez le duc de Guermantes, natu-rellement antidreyfusard, par position de classe, mais qui basculera ensuite dans le dreyfusisme, à la suite de rencontres mondaines qui le converti-ront à l'opinion contraire.

Un écrivain, toutefois, est allé aussi loin que possible dans la tentative qui consiste à intégrer les événements de la réalité dans le mécanisme de la fiction : Roger Martin du Gard, avec son roman *Jean Barois*, publié en 1913. Les choix esthétiques de Martin du Gard rejoignent ceux d'Anatole France ou de Marcel Proust – le refus d'une intrigue qui serait fondée sur les prin-cipes du roman historique. L'Affaire intervient, cependant, en tant que séquence événementielle. La deuxième partie du roman lui accorde une place très importante. Le personnage éponyme, Jean Barois, journaliste travaillant dans un petit quoti-dien dreyfusard, *Le Semeur* (inspiré de *L'Aurore*), assiste au procès de Zola : la dixième séance, celle du 17 février 1898, l'une des plus dramatiques, est longuement mise en scène, avec des citations reprenant les paroles réellement prononcées au cours des débats. Le roman de Martin du Gard procède par collage. Il combine documents réels et éléments fictionnels. Il fait entendre la rumeur de l'Histoire en privilégiant une écriture de forme théâtrale.

Une autre solution se présentait aux romanciers : le récit allégorique. Parler de l'Affaire, mais d'une manière détournée, en racontant une histoire différente, s'offrant en miroir. C'est le choix qu'ont fait Zola avec *Vérité*, publié en 1902, et Anatole France avec *L'Île des pingouins*, qui date de 1908 – l'un sur le mode sérieux, l'autre sur le mode comique. En écrivant *Vérité*, Zola respecte la consigne qu'il s'est donnée, ne pas parler explicitement des événements qu'il a vécus. Son projet est d'abord de représenter, au début du XXᵉ siècle, le monde de l'école laïque en lutte contre les puissantes congrégations religieuses. Mais il construit une intrigue qui, par son déroulement, reprend le mécanisme de l'affaire Dreyfus : Simon, un instituteur juif, est accusé à tort d'avoir violé et tué son neveu ; la lutte entreprise pour démontrer son innocence se calque sur le combat dreyfusard des années 1897-1899. Quant à Anatole France, historien facétieux de la surprenante nation des pingouins, il attribue à son héros, Pyrot (à qui l'on reproche d'avoir volé quelques milliers de bottes de foin destinées à la cavalerie de l'armée !) le destin tragique d'Alfred Dreyfus.

Ces romans parviennent à donner de l'Affaire une image assez complète. Les principaux événements sont repris, leur dimension politique est conservée, mais toute l'intrigue est transportée dans un autre espace, hors du temps réel – la petite ville de Maillebois chez Zola, l'île des pingouins chez Anatole France. Par leur précision, ces inventions allégoriques l'emportent sur les romans qui se contentent de dessiner un arrière-plan. Car elles poussent jusqu'au bout la logique du récit, en remontant aux causes qui ont produit le drame : dans *Vérité*, Zola voit dans un crime ancien liant deux complices la raison de la protection que Philibin (Henry) accorde à Gorgias (Esterhazy) ; dans *L'Île des pingouins*, Anatole France montre que la condamnation de Pyrot résulte d'un chantage exercé par le prince des Boscénos (Drumont) sur le ministre de la Guerre, Greatauk (Mercier). Cette clarification, cependant, s'accompagne d'un brouillage narratif. Obéissant aux lois de l'allégorie, le récit s'avance masqué. Son interprétation n'est pas toujours aisée. Il impose au lecteur de faire les correspondances nécessaires entre les personnages inventés et les situations réelles.

Il est une forme de littérature qui n'a éprouvé aucune des réserves morales qui viennent d'être indiquées. D'une manière explicite, son but était d'*exploiter* le ressort dramatique de l'affaire Dreyfus pour fabriquer une fiction à rebondissements multiples, mêlant le réel et l'imaginaire. Il s'agit de la littérature populaire, dont le mode d'expression passe par le roman-feuilleton. Nous avons déjà eu l'occasion d'en parler quand nous avons évoqué, dans le chapitre consacré à Esterhazy, les deux romans de Victor von Falk, publiés au cours des premières années du XXe siècle : *Alfred Dreyfus ou le Martyr de l'île du Diable*, prolongé par *Zola et Picquart. Les Champions de la vérité et de la justice et le Secret de la dame voilée ou la Fin des sinistres épreuves du capitaine Dreyfus* – 238 chapitres et 4 160 pages dans le premier cas, 109 chapitres et 2 400 pages dans le second. Inépuisable, la matière de ces interminables récits a resurgi dans l'entre-deux-guerres, entre 1931 et 1933. Elle a donné naissance à une nouvelle suite romanesque, *Le Calvaire d'un innocent*, publiée, comme les précédentes, sous la forme de livraisons hebdomadaires – en tout, 612 chapitres et 5 184 pages. Sur la couverture illustrée de la première livraison, on pouvait lire ce sous-titre : *Dreyfus. Le déporté innocent à l'île du Diable – le martyre de sa malheureuse épouse*[1].

---

1. L'auteur est un écrivain dont on ne connaît que le pseudonyme – Jules d'Arzac. Il reprend le contenu d'un

Les chapitres du *Calvaire d'un innocent* font se succéder des pages de pure invention rocambolesque et des chroniques chargées de rendre compte de la réalité des événements. Rien n'est laissé de côté ; toutes les péripéties de l'Affaire nourrissent la fiction, de l'arrestation de Dreyfus, en 1894, à la tentative d'assassinat par Grégori en 1908. Des documents sont insérés – extraits d'articles de Zola ou de la correspondance entre Alfred Dreyfus et sa femme. Mais la logique du feuilleton domine. Comme chez Victor von Falk, de nombreuses figures féminines sont introduites. Associées aux personnages masculins, elles permettent d'expliquer les raisons qui ont poussé les protagonistes à agir. Le thème de la femme fatale occupe une place importante. Ainsi le lecteur apprend-il, dès le début, quelle machination est à l'origine de l'Affaire, en découvrant le personnage de la ténébreuse Amy Nabot, qui, par dépit amoureux (elle a jadis aimé le « bel » Alfred Dreyfus, qui lui a préféré la « délicieuse » Lucie Hadamard…), s'est alliée avec le lieutenant-colonel Henry et a provoqué ainsi l'arrestation du malheureux capitaine !

Singulier pouvoir de la littérature populaire ! Le temps du récit reproduit, par son étirement continu, les péripéties qui ont marqué le temps

---

roman d'Eugen von Tegen, publié en Allemagne en 1930. La version française s'appuie sur l'original allemand qu'elle développe, en ajoutant des épisodes inédits.

de l'histoire réelle. Porté par le découpage hebdomadaire des feuilletons, le lecteur revit, semaine
après semaine, le « calvaire » de l'innocence.
Quelles que soient les épreuves traversées, il sait
qu'il peut espérer un dénouement heureux. Il lui
suffit de poursuivre sa lecture.

On l'aura noté, tous les romans qui viennent
d'être évoqués sont d'inspiration dreyfusarde.
Aussi curieux que cela puisse paraître, l'antidreyfusisme ne s'est pas déployé dans la littérature
romanesque. Il existe, certes, quelques romans
antidreyfusards[2], mais ils n'ont pas été écrits par
des auteurs de premier plan. Ni Léon Daudet,
ni Maurice Barrès ne se sont aventurés sur ce
terrain. Ils ont préféré combattre dans la presse
et consacrer tous leurs efforts à l'exercice de la
polémique. La trilogie barrésienne du *Roman de
l'énergie nationale* (*Les Déracinés*, *L'Appel au soldat*, *Leurs figures*) propose une histoire politique
de la IIIe République qui s'arrête avec le scandale
de Panama, sans aller au-delà.

L'antidreyfusisme a triomphé dans la caricature,
en faisant surgir, dans les journaux illustrés, des
images d'une rare violence. Les territoires du
romanesque, pour une large part, lui sont restés
inconnus. On ne s'en plaindra pas.

---

2. Ainsi *Le Journal d'un grinchu* de Gyp (1898), ou *Les
Trois Poteaux de Satory* de George Bonnamour (1908).

22

L'affaire Dreyfus
est-elle un bon sujet
pour le cinéma ?

Les historiens de cette période le soulignent volontiers : la naissance du cinéma est contemporaine de l'affaire Dreyfus. Le procès en révision de Rennes, au cours de l'été 1899, a été couvert par les médias du monde entier, alors que rien de tel ne s'était produit pour le procès de Dreyfus, en décembre 1894, et même pour celui de Zola, en février 1898. De nombreux journalistes et photographes ont fait le déplacement. On conserve ainsi une centaine de clichés qui montrent la ville de Rennes, le lycée où le procès s'est déroulé et les groupes de spectateurs qui ont assisté aux débats.

Les cameramen qui étaient sur place n'ont pas eu la possibilité de filmer la salle des audiences, mais ils ont pu réaliser quelques images animées montrant la foule massée autour du lycée, les gendarmes à cheval, ou encore Lucie Dreyfus, l'épouse du capitaine, en compagnie de l'avocat Fernand Labori. Ces images fugitives précèdent le premier film de fiction sur l'affaire Dreyfus. C'est Georges Méliès qui l'a tourné, à la fin de l'été 1899, dans ses studios de Montreuil : il se compose d'une série de tableaux d'une dizaine de minutes.

Le film de Méliès propose des actualités *reconstituées* qui prétendent fournir une vision aussi fidèle que possible de la réalité. Les tableaux, en plans fixes, à forte connotation dramatique, sont centrés sur le personnage de Dreyfus. Ils privilégient les affrontements, en s'inspirant, pour leurs décors, des multiples dessins répandus dans la presse illustrée. L'enchaînement est souligné par les titres annonçant chaque scène : « La dictée du bordereau », « L'île du Diable », « Mise aux fers de Dreyfus », « Suicide du colonel Henry », « Débarquement à Quiberon », « Entretien de Dreyfus et de sa femme à Rennes », « Attentat contre maître Labori », « Bagarre entre journalistes », « Le Conseil de guerre en séance à Rennes ». Les premiers tableaux constituent une sorte de prologue. Ils insistent sur les épreuves subies par le condamné (la dictée imposée à Dreyfus par Du Paty de Clam, au moment de l'arrestation, et les conditions de l'incarcération à l'île du Diable), avant de montrer le suicide du lieutenant-colonel Henry dans sa cellule du Mont-Valérien. Le procès de Rennes est traité dans la seconde partie, de l'arrivée en France de l'accusé (son débarquement sur la presqu'île de Quiberon, en Bretagne) jusqu'aux séances du procès, en passant par les retrouvailles émouvantes entre Alfred Dreyfus et son épouse ou l'attentat au cours duquel Fernand Labori a été blessé d'un coup de feu. L'intervention de Zola et les luttes politiques de l'époque sont laissées de côté. Pour Méliès, seule compte l'histoire d'un innocent injustement condamné.

Au même moment, en 1899, la firme Pathé propose, de son côté, une *Affaire Dreyfus* en six tableaux. Suivront deux autres films sur le même sujet, le premier, en 1902, réalisé par Ferdinand Zecca, le second, en 1907, confié à Lucien Nonguet. Il s'agit encore d'actualités reconstituées, sous la forme de tableaux. Le film de Nonguet dure une dizaine de minutes. Il sort en 1908. L'innocence d'Alfred Dreyfus a été officiellement reconnue ; il est donc possible de proposer un récit complet de l'Affaire. Le dernier tableau, qui montre la cérémonie de la réhabilitation, constitue l'apothéose du film.

Ces productions cinématographiques, cependant, connaîtront un écho limité, car, à partir de 1915, la censure interdira toutes les représentations de l'affaire Dreyfus au cinéma, en jugeant qu'elles peuvent porter atteinte à l'ordre public. Cette exclusion durera une quarantaine d'années, jusqu'au début des années 1960.

Dans l'entre-deux-guerres, c'est vers l'étranger qu'il faut se tourner pour voir réapparaître l'affaire Dreyfus sur les écrans. Trois films ont marqué cette période : le *Dreyfus* de Richard Oswald, en Allemagne, en 1930 ; en Angleterre, un an plus tard, *Dreyfus The Case* de F.W. Kraemer et Milton Rosmer ; et aux États-Unis, en 1937, *The Life of Émile Zola* de William Dieterle. Ces films ont été interdits en France, y compris celui de Dieterle, qui fut même retiré, en 1938, de la sélection officielle du festival de Venise, à la demande du gouvernement français !

Le film de Dieterle a connu un gros succès aux États-Unis. Récompensé par trois Oscars à Hollywood, il met en scène des acteurs célèbres : Paul Muni, dans le rôle de Zola, et Joseph Schildkraut, dans celui d'Alfred Dreyfus. Le scénario propose une vision romancée de la vie d'Émile Zola. Une première partie montre l'écrivain confronté à la misère sociale : les confidences d'une prostituée du nom de Nana lui permettent d'écrire le premier roman qui le rendra célèbre. Au faîte de sa gloire, alors qu'il est sur le point d'entrer à l'Académie française, il se lance dans son combat pour Dreyfus, à la suite d'une visite que lui a rendue l'épouse du condamné. À la veille de la Seconde Guerre mondiale, William Dieterle entend délivrer, avant tout, un message de paix et d'humanité.

Vingt ans plus tard, en dépit des bouleversements que le monde vient de connaître, l'affaire Dreyfus n'a rien perdu de son actualité. Le cinéma américain en propose une nouvelle version avec le *J'accuse* (*I Accuse*) de José Ferrer, sorti en 1958. Le film est centré sur le personnage d'Alfred Dreyfus, interprété par le réalisateur lui-même. Il décrit l'appareil de la justice militaire, en s'attardant sur les trois conseils de guerre successifs qui ont condamné Dreyfus ou acquitté Esterhazy.

La censure ayant relâché son emprise, le cinéma français peut enfin apporter sa propre vision. Il le fait par le biais d'une dramatique de télévision diffusée en quatre parties sur Antenne 2, en avril et mai 1978 : *Zola ou la Conscience humaine*. Le réalisateur est Stellio Lorenzi, le scénariste, Armand Lanoux, auteur de la biographie *Bonjour monsieur Zola*, publiée en 1954. La mise en scène privilégie l'action du romancier. Jean Topart campe un Zola à la voix inimitable, tandis que François Chaumette incarne son défenseur, Fernand Labori. Des documents d'archives sont insérés entre les différentes scènes. La partie centrale du film repose sur le procès de l'écrivain, qui fait l'objet de longues séquences où l'on voit s'affronter les partisans des deux camps.

C'est encore la télévision qui s'intéresse à l'affaire Dreyfus, mais en Grande-Bretagne, cette fois, avec une dramatique intitulée *Can a Jew be Innocent ?*, réalisée par Jack Emery en 1991. Au même moment, la chaîne de télévision américaine HBO revient sur ce thème avec un film de Ken Russell, *Prisoner of Honor*. Insistant sur le monde de l'armée, centré sur la description de l'état-major, le scénario met en valeur le courage du colonel Picquart (interprété par l'acteur Richard Dreyfuss) dans son opposition à la hiérarchie militaire.

Saisissant l'occasion offerte par le premier centenaire de l'Affaire (commémoré par diverses manifestations en 1994), la télévision française propose une nouvelle dramatique, en deux parties, *L'Affaire Dreyfus*, d'Yves Boisset (sur un scénario de Jorge Semprun), diffusée sur Arte en mai 1995 et sur France 2 au mois d'octobre de la même année. D'importants moyens ont été déployés. Toutes les étapes de l'histoire sont retracées, de ses origines à la cassation du procès de l'accusé, en juin 1899. Le scénario insiste sur la complicité diabolique qui unit Esterhazy (joué par Pierre Arditi) et Henry (joué par Bernard-Pierre Donnadieu). Il analyse le mécanisme de la machination construite par les militaires avant que tout ne s'écroule, au moment des aveux d'Henry.

Quel bilan tirer de ce rapide panorama[1] ? Ce qui retient d'abord l'attention, c'est la part prise

---

1. Nous laissons de côté les nombreux films documentaires qui se sont intéressés au sujet, comme le *Dreyfus ou*

par le cinéma américain, avec des réalisateurs aussi importants que William Dieterle, José Ferrer ou Ken Russell. Sur l'ensemble de ces adaptations, la France n'a produit que deux dramatiques de télévision – si l'on excepte les tout premiers films réalisés par Georges Méliès et Lucien Nonguet, à l'aube du muet. Cette situation s'explique par le poids que la censure a longtemps fait peser sur le cinéma français. Elle témoigne également de l'intérêt international suscité par le drame de l'affaire Dreyfus, dès son origine.

À l'évidence, le cinéma – surtout s'il provient de l'étranger – possède une liberté de ton et une audace dont la littérature s'est montrée incapable, en se cantonnant, le plus souvent, dans une description d'arrière-plan, face à un événement qu'elle jugeait trop complexe. Dès le début, c'est l'histoire d'un innocent injustement persécuté qui intéresse les réalisateurs. Si l'historiographie dreyfusarde, attentive aux aspects politiques et aux luttes collectives, a pu se faire *sans* Dreyfus (comme le montre le titre de l'ouvrage de Marcel Thomas, *L'Affaire sans Dreyfus*, publié en 1961), la filmographie dreyfusarde, en revanche, a toujours accompagné la destinée du condamné de 1894.

---

l'Intolérable Vérité de Jean A. Chérasse et Patrice Boussel, qui date de 1974, *Le Sabre brisé* de Paule Zadjermann, réalisé en 1994, ou encore *Le Dossier secret de l'affaire Dreyfus*, diffusé en 2015, dans le cadre de l'émission « L'ombre d'un doute ».

Dans leur trajectoire narrative, les films qui viennent d'être évoqués reprennent, peu ou prou, les grands passages obligés (la découverte du bordereau, le procès de l'accusé, la dégradation, l'île du Diable, la publication de « J'accuse », le suicide d'Henry…). Les scénaristes peuvent profiter d'un théâtre déjà écrit, celui des procès dans lesquels il leur suffit de puiser pour composer leurs dialogues. Le cinéma américain, inventeur du drame judiciaire (le *courtroom drama*), a largement exploité cette veine dès le film de William Dieterle qui fait d'Émile Zola un romancier éloquent, capable d'émouvoir l'ensemble de l'auditoire, lors de son procès en cour d'assises.

Deux tendances se dessinent, selon que l'on privilégie l'évocation du monde militaire ou la peinture des milieux intellectuels. À la brillante évocation du procès Zola proposée par William Dieterle, succède la vision de José Ferrer qui fait l'impasse sur ce procès pour ne retenir que l'image des tribunaux militaires. Même contraste entre les deux dramatiques de la télévision française : l'action de Zola se trouve au centre de l'œuvre de Stellio Lorenzi, tandis qu'Yves Boisset s'intéresse, avant tout, au déroulement d'une sombre affaire d'espionnage faite de multiples rebondissements.

Le choix d'acteurs célèbres contribue à mettre l'accent sur tel ou tel personnage (Zola joué par Paul Muni, dans le film de Dieterle ; le duo formé par Jean Topart et François Chaumette pour interpréter Zola et Labori chez Lorenzi ; Richard Dreyfuss en Picquart chez Ken Russell ; Pierre Arditi en Esterhazy chez Yves Boisset). La distribution détermine une signification. Les réalisateurs en ont parfaitement conscience. De ce jeu avec la notoriété ils espèrent le succès de leur film.

Ces productions s'inscrivent dans leur époque. Les scénarios s'appuient sur des sources contemporaines – biographies ou ouvrages d'histoire ayant repris le récit de l'Affaire avec l'ambition d'en renouveler l'approche[2]. La question de l'antisémitisme, très présente dans les fictions modernes (comme l'indique le titre choisi par Jack Emery : *Can a Jew be Innocent ?*), est pratiquement absente des films qui précèdent la Seconde Guerre mondiale. Elle n'est pas évoquée par William Dieterle (qui a pourtant fui le régime de l'Allemagne nazie pour s'installer aux États-Unis), en raison de la grande prudence dont faisaient preuve les studios d'Hollywood sur ce sujet. Pour qu'elle surgisse, il faut attendre le film de José Ferrer, en 1958 : le terme de « juif » apparaît dès les premières répliques ; on voit un Esterhazy complice des dénonciations lancées par Drumont, et Dreyfus, à

---

2. Par exemple, les biographies de Zola par Matthew Josephson et Armand Lanoux pour les films de Dieterle et de Lorenzi, ou l'ouvrage de Jean-Denis Bredin sur l'affaire Dreyfus dans le cas du film d'Yves Boisset.

l'île du Diable, porter une tenue rayée qui évoque celle des déportés des camps de concentration.

Toutes ces adaptations s'octroient la liberté d'inventer des scènes de discussion ou d'affrontement entre les personnages dont l'histoire réelle n'a pas conservé la trace. Ne pouvant tout raconter, elles modèlent, à leur façon, la matière d'une Affaire qu'elles sont obligées de présenter à l'aide de raccourcis : un choix est fait dans la série des procès ; l'engagement de Zola est réduit au seul « J'accuse » ; les débats de la Cour de cassation ne sont jamais évoqués. Elles dessinent les grandes lignes d'un drame dont elles entendent tirer un enseignement pour le public auquel elles s'adressent.

Au moment où nous achevons la rédaction de cet ouvrage, Roman Polanski est en train de réaliser une nouvelle adaptation de l'affaire Dreyfus au cinéma. Il a fait connaître son intention il y a quelques années déjà, en affirmant que ce projet lui tenait à cœur. Après avoir trouvé les financements nécessaires, il s'est lancé dans l'entreprise avec un budget de 18 millions de dollars. On connaît les têtes d'affiche : Jean Dujardin pour incarner Picquart, Louis Garrel pour jouer Dreyfus. Polanski a déclaré vouloir construire un *thriller* fondé sur l'intrigue d'espionnage à l'origine du drame. Il s'appuie sur le scénario que lui a fourni Robert Harris, auteur d'un roman histo-rique[3] racontant les événements à partir du regard porté sur eux par le colonel Picquart. Son film sera donc une Affaire *avec* Picquart – Picquart en héros absolu, luttant courageusement pour faire surgir la vérité. Reprenant le choix fait jadis par José Ferrer, il s'intitulera « J'accuse ». Au-delà du *thriller*, la dimension morale et politique n'en sera donc pas absente. Quel contenu aura ce « J'accuse » ? Quelle ampleur prendra le person-nage de Picquart ? Découvrira-t-on un visionnaire confronté à des chefs médiocres, un officier rebelle, un lanceur d'alerte ? Près de vingt-cinq ans après le film d'Yves Boisset, Roman Polanski doit relever un défi : faire entrer l'affaire Dreyfus dans l'histoire du XXIe siècle.

---

3. *An Officer and a Spy* (2013) : la traduction française a paru en 2014 sous le titre *D.*

23

L'affaire Dreyfus
présente-t-elle encore
des énigmes non résolues ?

Les énigmes de l'histoire exercent sur l'esprit un grand pouvoir de fascination. Elles commencent quand s'arrêtent les connaissances, quand le doute s'installe sur la nature d'un événement ou sur l'identité d'un personnage. Perçue comme un immense roman-feuilleton où se succédaient les rebondissements les plus extraordinaires, l'affaire Dreyfus n'a cessé d'offrir des énigmes à ses contemporains. Mais depuis les travaux accomplis, au début du XXe siècle, par Joseph Reinach et, lors de la seconde révision, par les magistrats de la Cour de cassation, jusqu'aux recherches conduites par les historiens modernes, son récit s'est peu à peu ordonné, les zones d'incertitude se sont éclaircies, de telle sorte qu'on peut considérer qu'elle a perdu aujourd'hui tout caractère mystérieux. À la suite d'une enquête bâclée où l'antisémitisme a joué un rôle important, un innocent a été condamné, en violation de toutes les règles juridiques, et les responsables de ce forfait n'ont jamais voulu reconnaître leur erreur, persévérant dans leur attitude jusqu'à déclencher une immense crise politique qui a déchiré la France pendant de longues années. Le scandale de l'Affaire ne réside pas dans l'erreur commise, mais dans le refus obstiné, venu des autorités militaires et politiques, de s'engager dans une révision du jugement initial. C'est ce qu'a montré Marcel Thomas, en 1961, dans *L'Affaire sans Dreyfus*, une étude pionnière qui a ouvert la voie aux synthèses ultérieures. Jean-Denis Bredin dans son récit de *L'Affaire* (1983), Vincent Duclert, avec sa biographie du capitaine Dreyfus (2006), Bertrand Joly, auteur d'une *Histoire politique de l'affaire Dreyfus* (2014), sont allés dans cette direction. La même perspective se retrouve dans l'étude magistrale de Philippe Oriol, qui, rivalisant avec l'entreprise de Joseph Reinach, a proposé, en 2014, une histoire globale de l'Affaire, de ses origines à nos jours.

À côté de ces analyses rigoureuses, qui voient dans l'Affaire un « crime d'État » (Vincent Duclert) ou une « machination » conçue dans les bureaux de l'État-major (Philippe Oriol), une autre histoire, une histoire parallèle, n'a cessé de se développer, au cours du XXe siècle, jusqu'à nos jours. Parce que l'Affaire apparaît comme un gigantesque puzzle dont on peut faire bouger constamment les pièces. Parce que l'attitude d'un Henry, d'un Mercier – protégeant un traître – reste difficilement compréhensible et révolte la conscience. La médiocrité se retrouve à tous les étages : chez Esterhazy, qui a conclu avec Schwartzkoppen un marché de dupes, en proposant de lui livrer des documents sans grande valeur ; chez Henry, esprit borné, soumis d'une manière aveugle à la volonté de ses chefs ; chez Mercier, ministre cynique et calculateur, intéressé uniquement par la préservation de son poste. Aussi un besoin de romanesque pousse-t-il à charger les individus de plus de complexité qu'ils n'en possèdent réellement, avec l'espoir, illusoire, de leur apporter un peu de grandeur lors de leur comparution devant le tribunal de l'Histoire.

Parmi les questions qui surgissent, le problème posé par les agissements d'Henry revient d'une manière récurrente. Quelles furent les motivations d'Henry ? Avait-il des liens secrets avec Esterhazy ? C'est ce que pensait Joseph Reinach[1]. Il en fait un élément majeur dans l'explication qu'il donne du mécanisme de l'affaire Dreyfus. Zola a été séduit par cette thèse. « La complicité d'Henry, ce serait, le jour où elle viendrait à être prouvée, la grande lumière décisive », écrit-il à Reinach, le 23 janvier 1899 : « Votre discussion, votre argumentation me hante. Vous arrivez à me convaincre, tant

---

1. Les historiens modernes ne le suivent pas sur ce point.

l'hypothèse satisfait ma raison. » Et, de fait, Zola construira le schéma de *Vérité* sur l'idée d'une relation occulte entre Gorgias et Philibin, les deux personnages qui représentent, dans son roman, Esterhazy et Henry. Il trouvera dans ce ressort secret un moyen de nouer plus efficacement les fils de son intrigue.

C'est à partir de ce besoin d'une rationalité supérieure que l'histoire parallèle de l'affaire Dreyfus s'est développée. Elle a surgi au cours des années 1930, au moment où vivaient encore les derniers témoins de l'Affaire, en face d'une opinion publique confrontée à deux thèses concurrentes, l'une affirmant l'innocence de Dreyfus, l'autre défendant, au contraire, l'idée de sa culpabilité, à partir de la démonstration qu'en faisait le bréviaire utilisé par les militants de l'Action française, le *Précis de l'affaire Dreyfus* de Dutrait-Crozon, publié en 1909, réédité en 1924, dans une version augmentée. Deux ouvrages ont ouvert le jeu des hypothèses, fondés sur l'idée que le mécanisme de l'Affaire s'expliquait par l'action souterraine des services du contre-espionnage, français ou allemand : *Histoire et psychologie de l'affaire Dreyfus* d'Henri Mazel, en 1934 ; et *Les Côtés mystérieux de l'affaire Dreyfus* d'Armand Charpentier, en 1937. Pour Henri Mazel, il s'agissait d'un coup monté par le contre-espionnage allemand pour déstabiliser son adversaire. Pour Armand Charpentier, le colonel Sandherr, convaincu de la culpabilité de

Dreyfus (il en aurait reçu la preuve grâce à l'un de ses agents, basé en Alsace), a voulu tendre un piège au capitaine en faisant rédiger le bordereau par Esterhazy ; mis dans la confidence, Henry s'est efforcé, ensuite, de préserver ce secret à tout prix. L'innocence d'Alfred Dreyfus n'était pas remise en cause, mais on soulignait qu'il avait été victime d'une effroyable méprise. En avançant son hypothèse, Henri Mazel déclarait qu'il souhaitait réconcilier les esprits pour mettre un terme à l'opposition irréductible entre dreyfusards et antidreyfusards.

Au cours de la seconde moitié du XXᵉ siècle, plusieurs ouvrages ont poursuivi sur cette lancée. Leurs titres se plaisent à souligner l'importance des secrets qu'ils pensent être en mesure de dévoiler : *L'Énigme Esterhazy* (par Henri Guillemin, en 1962), *L'Affaire Dreyfus. La clé du mystère* (par Michel de Lombarès, en 1972), *Dreyfus ou l'Intolérable Vérité* (par Jean A. Chérasse et Patrice Boussel, en 1975[2]), *L'Affaire et le Grand Secret* (par Ida-Marie Frandon, en 1993), *Un secret bien gardé. Histoire militaire de l'affaire Dreyfus* (par Jean Doise, en 1994), *Les Vérités cachées de l'affaire Dreyfus*

---

2. L'ouvrage vient en complément d'un film documentaire réalisé par les deux auteurs en 1974, où intervenaient différents témoins tels que François Mitterrand, Michel Debré, Alain Krivine, Henri Guillemin ou Marcel Thomas.

(par Armand Israël, en 2000), *Le Bureau des secrets perdus* (par Jean-François Deniau, en 2000). Ces ouvrages reprennent, avec des variantes, les mêmes hypothèses de base, chacun s'efforçant d'aller plus loin que son prédécesseur. Henri Guillemin suppose qu'il faut voir, derrière Esterhazy, l'ombre d'un « troisième homme », un officier haut placé, livrant des secrets à l'ennemi à la suite d'un chantage, et qu'il aurait fallu protéger. Michel de Lombarès et Jean A. Chérasse avancent l'hypothèse d'une guerre souterraine opposant les services secrets des deux pays (les Allemands auraient fabriqué le bordereau pour piéger leurs adversaires). Mais la plupart des auteurs (Ida-Marie Frandon, Jean Doise, Armand Israël et Jean-François Deniau) pensent que tout s'explique par une opération d'intoxication qui aurait été conduite par les services secrets français contre Berlin.

Quel était l'enjeu ? Les défenseurs de la thèse de l'« intox » notent que, parmi les documents évoqués dans le bordereau, il était question du canon de 120. Or, au même moment, les services de l'armée mettaient au point un canon bien plus moderne, le canon de 75, une pièce d'artillerie disposant d'un frein puissant lui donnant une grande efficacité dans le tir. Son usage, ajoutent-ils, permettra à l'armée française de résister victorieusement à l'avancée allemande, au début de la Première Guerre mondiale. Il fallait donc préserver les secrets de fabrication de cette arme nouvelle : d'où le leurre introduit par les promesses fallacieuses du bordereau.

Les partisans de cette thèse, pourtant, n'arrivent pas à répondre sérieusement à l'objection que représente le rôle joué par Picquart dans le cours des événements. Comment peut-on imaginer que le successeur du colonel Sandherr à la tête du service des renseignements n'ait pas été mis au courant d'une telle opération ? La mésentente avec Henry ne suffit pas à tout expliquer. Picquart n'aurait jamais eu la réaction qu'on lui connaît si ses supérieurs avaient pu lui démontrer, lorsqu'il est venu leur communiquer ses informations, qu'Esterhazy était, en fait, un agent double. Or il a persisté dans son attitude, au mépris de tous ses intérêts de carrière. S'il s'est comporté de la sorte, c'est bien parce qu'aucune opération d'intoxication n'a jamais existé.

Balayant tous les obstacles, les auteurs de ces différents ouvrages sont persuadés d'avoir raison. Ils se glissent dans les interstices du drame, certains de pouvoir apporter une réponse à tous les problèmes qu'ils rencontrent. Ils accordent, par exemple, une attention particulière aux circonstances suspectes ayant entouré, en août 1898, le suicide du lieutenant-colonel Henry. L'histoire stimule leur imagination. Henry a été retrouvé mort dans sa cellule du Mont-Valérien, un rasoir replié dans sa main gauche, alors qu'il était droitier. S'est-il tranché la gorge, comme on l'a prétendu ? Armand Charpentier n'est pas convaincu par la thèse officielle. Il envisage d'abord l'hypothèse d'une évasion (Henry aurait survécu, le cercueil dans lequel il a été enterré n'aurait contenu, en fait, que des pierres !), pour défendre finalement l'idée d'un assassinat (un émissaire de l'État-major aurait empoisonné le malheureux à l'aide d'une funeste « boulette », puis lui aurait tranché la gorge). Poursuivant ces investigations, Armand Israël croit avoir découvert, dans les archives de la préfecture de police, le nom de l'assassin : un certain Lionel de Cesti, escroc mêlé à différentes affaires louches, probable homme de main de la Section de statistique.

De son côté, Jean-François Deniau, reprenant une idée déjà avancée par Ida-Marie Frandon, pousse jusqu'à un degré extrême la thèse d'une conspiration visant à protéger les secrets du canon de 75. D'après lui, le capitaine d'artillerie Alfred Dreyfus, conscient de l'importance de cette arme nouvelle, aurait accepté, par patriotisme, d'être considéré comme coupable – d'une façon temporaire, bien entendu. Il se serait donc sacrifié avec héroïsme !

L'idée de Jean-François Deniau a inspiré Didier van Cauwelaert, auteur, en 2011, d'un ouvrage intitulé *Le Journal intime d'un arbre*. Un livre étrange dont la figure centrale est un

arbre, un poirier d'une exceptionnelle longé-
vité, témoin d'événements historiques qui se
sont déroulés sur plusieurs siècles. L'un des
chapitres, « La greffe », décrit une rencontre
entre Alfred Dreyfus et le général Mercier. La
scène se déroule en 1921, au lendemain de la
Première Guerre mondiale. Les deux hommes
dialoguent enfin. Mercier se justifie en prétendant avoir monté une opération destinée à
tromper l'ennemi prussien pour protéger les
secrets de l'artillerie française. Dreyfus écoute,
incrédule, les révélations de ce vieillard proche
de la mort qui s'adresse à lui vêtu d'une salo-
pette de jardinier, en train de procéder à une
greffe sur le tronc du vénérable poirier.

Développant ce thème, souhaitant lui donner
plus d'ampleur encore, Didier van Cauwelaert
a composé le livret d'un opéra qui a été représenté à Nice, en mai 2014, sur une musique de
Michel Legrand. La pièce, fondée sur une vaste
distribution, mise en scène avec d'importants
moyens matériels, propose une vision d'ensemble
des événements. Elle donne la parole à Esterhazy
qui raconte toute l'histoire de son point de vue.
Ce dernier n'est pas un « salaud », nous apprend
le librettiste, mais un « voyou », porteur de ter-
ribles secrets qui l'accablent. Comparables au
chœur d'une tragédie antique, les personnages
apparaissent, d'une manière indistincte, comme
les victimes d'une même fatalité.

En s'aventurant dans les arrière-cours, les chercheurs en histoires parallèles prennent le risque de dissimuler la gravité du crime juridique au cœur de la machination qui a abouti à la condamnation d'Alfred Dreyfus. Ils détournent notre attention de l'essentiel. Mais il faut bien reconnaître qu'ils s'adressent à notre imaginaire avec un certain succès. Et sans doute est-ce l'une des caractéristiques de l'Affaire que les légendes la traversent de toutes parts et reviennent aussitôt, dès qu'on a cru les écarter, en jouant avec les apparences de la vérité.

24

Zola fut-il victime
de son engagement ?

« J'ai voulu faire allumer du feu dans ma cheminée », raconte Zola, le 12 octobre 1899, dans
une lettre à sa femme, Alexandrine (alors en
voyage en Italie), mais « il s'est produit une telle
fumée, qu'il a fallu s'enfuir en ouvrant toutes les
fenêtres », et il ajoute, sur le ton du badinage, que
son ami Fernand Desmoulin prétend que « des
antidreyfusards sont montés sur le toit boucher
nos cheminées ». Une remarque sans importance ?
Trois ans plus tard, le 29 septembre 1902, Émile
Zola mourra asphyxié par des émanations d'oxyde
de carbone provenant de la cheminée de sa
chambre à coucher, dont le conduit était bouché.
La plaisanterie lancée par Desmoulin semble
s'être transformée en une sinistre prédiction. Mais
l'enquête policière qui a été conduite en 1902 a
écarté l'hypothèse d'une intervention extérieure :
elle a conclu à un simple accident.

Un quart de siècle plus tard, pourtant, en avril 1928, un fumiste du nom d'Henri Buronfosse avouera à l'un de ses amis être le responsable de la mort de l'écrivain : profitant de travaux réalisés sur le toit d'une maison voisine, il aurait bouché la cheminée de la chambre à coucher, puis l'aurait débouchée peu après, échappant ainsi à tout soupçon au moment de l'enquête. Cette révélation tardive a de quoi surprendre. Mais plusieurs éléments la rendent vraisemblable. Henri Buronfosse (mort d'une crise cardiaque le 24 mai 1928, un mois après ses déclarations) exerçait effectivement, en 1902, la profession de fumiste. Membre de la Ligue des patriotes que dirigeait Paul Déroulède, il faisait partie des cadres de l'organisation et exerçait des responsabilités au sein de son service d'ordre. Pierre Hacquin, l'homme qui a recueilli cette confession, peut être considéré comme un témoin digne de foi. Il connaissait Buronfosse depuis de nombreuses années. Son témoignage, toutefois, n'a été livré qu'en 1953 à un jeune journaliste de *Libération*, Jean Bedel, qui a publié alors une série d'articles intitulés « Zola a-t-il été assassiné ? ». Les années s'étant écoulées, aucune preuve tangible ne pouvait être avancée, en dehors de ces propos rapportés. Mais quand on examine avec attention le dossier de toute cette affaire, de nombreux indices conduisent à penser que les révélations de Pierre

Hacquin méritent d'être prises en considération[1]. Il est donc tout à fait possible que Buronfosse ait bouché la cheminée de l'auteur de « J'accuse », le « traître », le romancier « sans patrie », coupable, à ses yeux, d'avoir porté atteinte à l'honneur de l'armée. Souhaitait-il assassiner Zola ou se livrer seulement à une sinistre plaisanterie, comparable à celle qu'avait imaginée Fernand Desmoulin ? Ce jour-là, en tout cas, la farce du fumiste a connu une conclusion tragique.

L'attentat s'inscrit, hélas, dans les mœurs politiques de l'époque, comme le montrent les exemples de Labori frappé d'une balle en plein dos, au moment du procès de Rennes, en août 1899 ; d'Alfred Dreyfus, blessé par Grégori en juin 1908, le jour de la cérémonie du transfert des cendres de Zola ; ou de Jaurès, assassiné au Café du Croissant le 31 juillet 1914. Mais, sans aller jusqu'au drame de l'attentat, il faut évoquer ces moments de grande violence que l'époque de l'affaire Dreyfus a connus, suscités par des extrémistes que la passion nationaliste aveuglait. Ces violences se sont déchaînées au

---

1. Sur cette question, nous avons mené une enquête dont les résultats ont été exposés notamment dans « Mort de Zola. Un rideau de fumée », *Les Énigmes de l'histoire de France*, ouvrage collectif publié sous la direction de Jean-Christian Petitfils (Perrin, 2018).

cours des mois de janvier et février 1898, à la suite
de la publication de « J'accuse » et pendant la période
du procès d'Émile Zola devant la cour d'assises de
la Seine. La ville de Paris a été secouée par des
manifestations continuelles se déroulant aux cris de
« Vive l'armée ! Mort aux juifs ! Conspuez Zola ! »,
que proférait une foule hétéroclite, composée d'étudiants, d'artisans ou d'ouvriers. Le 17 janvier, un
meeting nationaliste, au Tivoli-Vauxhall, tourne au
pugilat entre antisémites et anarchistes. Le lendemain, le Quartier latin est parcouru par des bandes
d'étudiants excités insultant Zola et criant « À bas
les traîtres ! ». Les mêmes scènes se reproduisent les
jours suivants. À de nombreuses reprises, on brise
des vitrines de magasins appartenant à des com-
merçants d'origine juive. L'agitation nationaliste
culmine, le 23 janvier, avec un meeting antisémite
salle des Mille-Colonnes, à Montparnasse. Elle
s'atténue ensuite, pour reprendre au moment des
audiences du procès Zola, obligeant les autorités
à protéger le Palais de justice par des cordons de
policiers et de gendarmes. Le 11 février, le jour de
la cinquième audience du procès, des enragés enva-
hissent les ateliers de textile Bernheim Frères, situés
boulevard Voltaire ; aux cris de « Mort aux juifs ! »,
ils cassent les vitres, démolissent des machines et
blessent une ouvrière[2].

---

2. Dans l'ouvrage qu'il a consacré à cette question (*Le
Moment antisémite*, Fayard, 1998), Pierre Birnbaum intitule

À la même époque, des manifestations identiques se tiennent dans les grandes villes de province : à Marseille, Lyon, Bordeaux, Nantes ou Rouen. À Alger, qui se trouve sous l'emprise de l'antisémite Max Régis (directeur de *L'Antijuif algérien*), elles font plusieurs morts dans la population d'origine juive – des drames que la police est parvenue à éviter, heureusement, dans la métropole.

Pendant le procès du mois de février 1898, lorsqu'il se rend au Palais de justice ou quand il en sort, Émile Zola est menacé à plusieurs reprises par une foule déchaînée. Le 8 février, à l'issue de la deuxième audience, on frôle le drame. Des énergumènes entourent le romancier, prêts à le lyncher, et il faut toute l'énergie d'un groupe d'amis pour éviter le pire. La police prendra désormais plus de précautions ; les déplacements de l'écrivain seront protégés. Ses proches, Fernand Desmoulin, Alfred Bruneau, Eugène Fasquelle ou Octave Mirbeau, jouent le rôle de gardes du corps. « Desmoulin et moi – raconte Bruneau – alternativement, nous informions de grand matin la police, qui exigeait ce renseignement, du lieu où nous devions déjeuner. Deux voitures nous attendaient devant la maison indiquée : une où nous montions Zola et nous, l'autre où se trouvaient les agents de la Sûreté chargés de tenir la foule à distance et de

---

« Paris brûle-t-il ? » le chapitre qui traite des manifestations parisiennes.

la repousser en cas d'une surprise trop rudement agressive aux abords du Palais de justice. »

Ces violences inspireront au peintre belge Henry de Groux un *Zola aux outrages*. Reprenant le thème d'un tableau qu'il avait exposé, quelques années plus tôt, au Salon de Bruxelles, sous le titre *Le Christ aux outrages*, il montre le romancier s'avançant avec peine au milieu d'une foule hystérique – visages déformés par la haine, traits grimaçants, regards vides, que surmonte une nuée de cannes prêtes à frapper.

Cette haine, on la retrouve exprimée dans les lettres d'injures que Zola reçoit à cette époque. Moins nombreuses, certes, que les multiples témoignages d'admiration qui parviennent alors à son domicile[3], mais représentatives du climat d'une époque. Lettres, cartes postales, télégrammes, ces envois prennent toutes les formes, jusqu'à d'ignobles enveloppes maculées de taches ou souillées d'excréments. Les auteurs de certaines lettres argumentent longuement, expliquent les raisons qui les motivent, en ayant l'honnêteté de signer leurs propos. Mais beaucoup se contentent de messages anonymes dans lesquels se déverse une litanie d'injures tristement répétitives : « À bas Émile Zola, le protecteur des juifs ! », « À bas Zola, le sans-patrie, le mangeur de macaronis ! »,

---

3. Nous les avons évoqués précédemment, p. 148-150.

« Misérable fripouille », « Sale crapule de traître »,
« Sale cochon, vendu aux juifs », « Fainéant, sale
bougre, mort à tous les membres du syndicat
Dreyfus ! », « Honte éternelle au Judas des temps
modernes ! », « Envoi d'un père de famille au
défenseur du traître, plus lâche que Dreyfus
lui-même, plus vil, plus ignoble, plus méprisable
que le plus méprisable ». Au nom de « L'Opinion
publique », un correspondant s'exclame : « C'en
est trop ! La France entière, écœurée, indignée
de tant d'audace, de cynisme et d'inconscience,
crie vengeance contre vous, et l'expiation bien
méritée va commencer. Votre nom sera maudit
par la génération présente et flétri par la postérité »
– cette dernière phrase étant soulignée d'un large
trait de plume. L'un des messages, parmi les
plus furieux, pronostique : « Tu crèveras paralysé
de la gueule et de cette boîte à ordures qui est
ton infect cerveau – ah ! tu souffriras » (le mot
est souligné trois fois). On s'en prend à « Zola
le Pornographe », à « Monsieur Pot-Bouille », à
l'auteur de *Nana*, à celui qui a osé insulter la
religion catholique avec son roman sur la ville de
Lourdes[4].

Sur les boulevards, au même moment, des
camelots vendent des chansons ou des brochures

---

4. Documents extraits des archives du Centre d'étude
sur Zola et le naturalisme (Institut des textes et manuscrits
modernes, CNRS/ENS).

antisémites dont Zola le « youpin » constitue le personnage principal. Ce sont les employés du fameux Napoléon Hayard – appelé l'« Empereur des camelots », en raison de son prénom – dont l'activité commerçante domine alors le marché parisien. Son prestige repose sur la diffusion d'une multitude de libelles qu'il répand, tous les jours, aux quatre coins de Paris, grâce à une armée de crieurs rompus à tous les boniments.

Parmi les productions de Napoléon Hayard figure un *Testament officiel d'Émile Zola*, où l'on peut lire, entre autres facéties : « Moi, soussigné, au moment de devenir gaga, et sentant que mes facultés diminuent... Je lègue donc la totalité de mes œuvres aux chalets de nécessité[5] qui en feront l'usage qui, naturellement, *s'indique*[6]. Après avoir longtemps fait le *Bonheur des Dames* des boulevards extérieurs, et comprenant que cette tâche devient trop *Lourdes* pour moi... Ayant voulu essayer de me faire de la réclame en prenant en mains la cause du youpin *Dreyfus*, et cette tentative n'ayant abouti qu'à une formidable *Débâcle*, j'abjure aujourd'hui toutes *Mes Haines*, et avant de retourner à *la Terre*, je désire partager mes biens entre ceux qui ont contribué à me fourrer dans le pétrin... »

Dans la même veine, un faire-part de décès (imprimé à 120 000 exemplaires) invite les passants

---

5. Ancêtres de nos toilettes publiques.
6. Allusion au thème du « syndicat juif ».

à se rendre à l'enterrement du « pornographe, défenseur du *traître Dreyfus* », Émile Zola, « décédé en *Cour d'assises*, au *Palais de justice* à Paris, à l'âge de cinquante-huit ans, à la suite d'une longue et douloureuse *scandalite* aiguë, causée par un ramollissement cérébral, joint à une indigestion de *galette israélite* ». À l'issue de la cérémonie, prévient le faire-part, « un gueule-ton monstre, présidé par *Coupeau*, *Mes-Bottes* et *Bibi-la-Grillade*, réunira tous les participants dans les vastes salons de *l'Assommoir* » et, au dessert, « pour dissiper l'humeur noire des assistants, la *Mouquette* montera sur la table et exhibera devant tous sa physionomie postérieure qui a fait le succès de *Germinal* et qui représente la photographie de Zola ». Le texte se termine par un « De Profundis » adressé à « Zola Kif-Kif-Bouricot Salopus », et il est signé, entre autres, par « Salomon Prépuce », la « Baronne (Lévy) d'Ange », ou encore les barons « Isaïe Kahn-Hull », « Blum Poudd-Yng » et « Kohn-Nass ».

À supposer qu'il en eût éprouvé le besoin, le fumiste Henri Buronfosse avait, dans cette prose des caniveaux, de quoi largement nourrir ses rêveries assassines.

25

Fallait-il se battre
pour la cause
d'Alfred Dreyfus ?

Si on la considère du point de vue de son dénouement, l'affaire Dreyfus peut être analysée comme une victoire de la raison sur le déchaînement des passions – la démonstration faite par un régime républicain qu'il lui était possible de revenir sur ses erreurs pour faire triompher la justice. La complexité des événements, les multiples retournements de situation, la dureté de l'affrontement qui a opposé les deux camps adverses lui confèrent un caractère exceptionnel auquel s'ajoute une dimension politique absente de la plupart des affaires judiciaires. Ces facteurs expliquent son extraordinaire retentissement international. Ce dont témoigne, par exemple, le philosophe Emmanuel Levinas, qui aimait rappeler l'attitude de son père (juif d'origine lituanienne) devant ce qui se passait en France : « Un pays qui se déchire entièrement, qui se divise pour sauver l'honneur d'un petit officier juif, c'est un pays où il faut rapidement aller[1] ! »

Au-delà des arguments rationnels, le sentiment de participer à un événement unique a jeté dans la bataille un grand nombre de dreyfusards. Le 21 février 1898, alors que va s'achever le procès de Zola, Octave Mirbeau écrit à un ami : « Aujourd'hui, à la sortie, nous avons été fortement hués et poursuivis. C'était admirable ! Mercredi je serai encore au procès. Pour le dernier jour, je ne puis abandonner cet admirable Zola. » On constate la même attitude chez un Péguy, lorsqu'il évoque ses souvenirs dans *Notre jeunesse*, ou chez un Daniel Halévy, quand il s'interroge sur le sens de ce « compagnonnage » inédit qui réunissait tant d'acteurs venus d'horizons différents : « Qu'est-ce que nous combattions ? Nous le savions à peine. L'armée ? Ce n'était pas notre désir. L'illégalité d'un jugement ? Pas davantage, nous l'avions tolérée. » Et il trouve cette réponse : « Nous nous refusions à ratifier un verdict imposé par les foules, nous nous révoltions contre une terreur dictée par les démagogues. »

Faisant de l'expérience dreyfusarde un idéal absolu, Péguy oppose deux modes de pensée radicalement hétérogènes – la distinction est devenue

---

1. Anecdote rapportée par Jean Daniel dans *La Prison juive* (Odile Jacob, 2003, p. 68).

célèbre : la « mystique » d'un côté ; la « politique » de l'autre. De l'une à l'autre, aucune transition n'est possible. L'expérience politique dégrade forcément l'espérance mystique. Une question l'obsède, quand il constate la ruée vers le pouvoir à laquelle a donné lieu la victoire du bloc radical, l'anticléricalisme forcené du ministère Combes, les scandales de tous ordres qui ont caractérisé les premières années du XXe siècle, les compromis qu'un leader socialiste tel que Jaurès a été forcé de passer pour soutenir le pouvoir en place : est-il encore possible d'assumer avec fierté l'héritage dreyfusard ?

C'est pourquoi Péguy rejette tout ce que ce combat politique a impliqué, les luttes interminables, l'oubli de la tradition chrétienne dans laquelle la France s'inscrivait, la vaine gloriole de ceux qui se sont proclamés vainqueurs, aggravant les divisions d'une nation qui avait tant souffert. Un idéal a existé. Il ne saurait être confondu avec le résultat auquel aboutit l'intrigue politique. « Il ne faut donc pas faire porter aux mystiques la peine des dissensions, des guerres, des inimitiés politiques, il ne faut pas reporter sur les mystiques la malendurance des politiques. » Et de répéter avec force : « Nous prétendons au contraire que nous les mystiques nous sommes et nous fûmes, que nous avons toujours été, le cœur et le centre du dreyfusisme, et que nous seuls nous le représentons. »

Plus radicale est la position défendue par Georges Sorel dans *La Révolution dreyfusienne*, en 1909. Ce pamphlet, écrit par un ancien dreyfusard, dresse un réquisitoire sans appel : par ses effets négatifs, le dreyfusisme a dégradé les institutions républicaines au point de les ramener au niveau d'impuissance où se trouvait le second Empire ; il a donné le spectacle d'une gigantesque farce ; ses figures les plus illustres ressemblent à des pantins de comédie. « Les révolutions ressemblent beaucoup aux drames romantiques : le ridicule et le sublime y sont mêlés d'une manière si inextricable qu'on est souvent embarrassé pour savoir quel jugement porter sur des hommes qui semblent être à la fois bouffons et héros. »

Pour ceux qui éprouvent avec douleur le divorce installé entre la « mystique » et la « politique », il ne reste plus que le repli sur soi, le retour aux valeurs traditionnelles du catholicisme ou l'adhésion à la mouvance nationaliste – des voies qu'emprunteront, chacun à leur façon, Charles Péguy (en proclamant sa foi catholique dans *Le Mystère de la charité de Jeanne d'Arc*) et Georges Sorel (en se rapprochant des milieux nationalistes et monarchistes).

Constituant, à cet égard, un excellent témoignage, les œuvres de fiction traduisent le désenchantement qui s'est installé dans les esprits à la veille de la Première Guerre mondiale. À la fin de *L'Île des pingouins* d'Anatole France (1908), l'astronome Bidault-Coquille s'interroge avec amertume sur le combat qu'il a mené. Il médite, « du haut de sa vieille pompe à feu, sous l'assemblée des astres de la nuit » : « Pour avoir montré sur un point particulier un peu plus de clairvoyance que le vulgaire, doit-on te regarder comme un esprit supérieur ? Je crains bien, au contraire, que tu n'aies fait preuve, Bidault-Coquille, d'une grande inintelligence des conditions du développement intellectuel et moral des peuples. Tu te figurais que les injustices sociales étaient enfilées comme des perles et qu'il suffisait d'en tirer une pour égrener tout le chapelet. Et c'est là une conception très naïve. »

Dans *Jean Barois* (1913), les personnages de Roger Martin du Gard éprouvent des sentiments similaires. L'un des derniers chapitres du roman place ces propos dans la bouche du philosophe Luce, le maître à penser de Barois : « Le grand mal, c'est que le peuple français n'est pas un peuple moral ; et pourquoi ? parce que, depuis des siècles, la politique et l'intérêt priment le droit. C'est une nouvelle éducation à faire… Notre but n'est pas atteint, c'est vrai, mais il n'est pas manqué pour ça : il est en voie de réalisation. » Et Luce d'ajouter, se voulant optimiste devant la marche de l'Histoire : « C'est un fameux siècle, celui qui a commencé par la Révolution et qui finit par l'Affaire ! »

En prolongeant cette remarque, on ajoutera que le XXe siècle a commencé avec l'Affaire. C'est ce qu'a imaginé Émile Zola dans son dernier cycle romanesque, *Les Quatre Évangiles* : il voyait dans l'expérience dreyfusarde un principe organisateur permettant de se projeter vers le futur – capable de fonder une morale de la famille (dans le roman *Fécondité*), de nouvelles relations entre le capitalisme et la classe ouvrière (dans *Travail*), une autre vision de la justice (dans *Vérité*).

Ainsi convoquée comme modèle de référence, l'Affaire pénètre dans l'histoire du XXe siècle, en accompagnant ses bouleversements. Quelles vertus pédagogiques lui attribue-t-on ? Soucieux de se libérer des cauchemars de la Première Guerre mondiale, un certain nombre d'intellectuels, au cours des années 1920, la reprennent à leur compte pour défendre les valeurs auxquelles ils tiennent. Elle nourrit la réflexion pacifiste que conduit le philosophe Alain dans *Mars ou la Guerre jugée* (1921). Elle inspire l'analyse autobiographique de Julien Benda dans *La Jeunesse d'un clerc* (1927). Deux visions antagonistes remontent à la mémoire de Benda : d'un côté, la violence haineuse des foules antidreyfusardes, soumises aux mensonges des démagogues ; et de l'autre, l'exercice courageux d'une pensée rationnelle dont les intellectuels dreyfusards ont su faire preuve. « L'affaire Dreyfus – écrit-il – a joué un rôle capital dans l'histoire de mon esprit par la netteté avec laquelle elle m'a permis d'apercevoir, comme dans un éclair, la hiérarchie des valeurs qui fait le fond de mon être et ma haine organique pour le système adverse. Par elle, il me fut donné de me connaître en tant que rationaliste absolu, j'entends qui, en face d'un conflit mettant aux prises les intérêts de la raison et ceux du social ou du national, opte violemment et sans le moindre balancement pour les premiers. » Prenant l'événement comme une clef de lecture d'ordre historique, Julien Benda va même jusqu'à considérer la Première Guerre mondiale comme « une réplique de l'affaire Dreyfus » : coupable d'avoir envahi la Belgique, en 1914, l'Allemagne, dit-il, s'est placée sur le terrain de l'illégalité, comme l'avaient fait, avant elle, le général Mercier et ses complices. La référence peut surprendre. On la retrouvera, sous une forme atténuée, dans les *Souvenirs sur l'Affaire* de Léon Blum, en 1935 : « L'Affaire fut une crise humaine, moins étendue et moins longtemps prolongée, mais aussi violente que la Révolution française ou que la Grande Guerre. »

La défaite française de 1940 et l'installation du gouvernement de Vichy réactivent la fracture entre les héritiers du dreyfusisme et ceux de l'antidreyfusisme. L'Action française de Charles Maurras devient l'un des piliers idéologiques du régime du maréchal Pétain. Les chantres du nationalisme ont l'impression que l'histoire s'est retournée en leur faveur : pour Maurras, qui le proclame dans un article fameux, publié en février 1941, c'est une « divine surprise » ! De l'autre côté, l'hostilité au nazisme et le refus de l'antisémitisme conduiront de nombreux intellectuels à faire le choix de la Résistance. Deux France, là encore, s'affrontent, même si la situation demeure complexe et qu'il importe de se méfier, en ce domaine, d'une vision trop rapide[2].

Symbole d'un mouvement de protestation où l'indignation se trouve à l'origine de l'engagement, l'Affaire conserve toute son actualité dans la seconde moitié du XXe siècle. Elle sert de référence, par exemple, à un intellectuel tel que Pierre Vidal-Naquet, lorsqu'il prend position contre la torture pratiquée pendant la guerre d'Algérie. « Pour moi, c'est la guerre d'Algérie qui a été le déclic, qui a fait de moi un dreyfusard en action », déclarait-il en 2006, dans *L'Histoire est mon combat*, une série d'entretiens au cours desquels il retraçait son parcours de militant[3].

---

2. Comme l'indique Simon Epstein, qui a montré que l'on pouvait trouver aussi, du côté du régime de Vichy, un certain nombre d'anciens dreyfusards (*Les Dreyfusards sous l'Occupation*, Albin Michel, 2001).

3. Voir « Pierre Vidal-Naquet, "un dreyfusard en action" » dans *Être dreyfusard hier et aujourd'hui*, sous la dir. de Gilles Manceron et Emmanuel Naquet, Presses universitaires de Rennes, 2009.

À l'exercice d'un dreyfusisme *en action*, les raisons ne manquent pas, aujourd'hui. Au premier rang d'entre elles, la lutte contre l'antisémitisme dont le retour, sous les formes les plus insidieuses, s'attaque aux fondements mêmes de notre démocratie. Il y a urgence : c'est le défi de l'heure présente, dans un monde marqué par la prolifération des discours de l'intolérance.

Éternelle affaire Dreyfus, aux multiples enseignements… La parole de Charles Péguy n'a rien perdu de sa dimension prophétique : « Plus cette affaire est finie, plus il est évident qu'elle ne finira jamais. »

Chronologie

1894

15 octobre. Arrestation du capitaine Alfred Dreyfus, accusé d'espionnage au profit de l'Allemagne.

19-22 décembre. Procès d'Alfred Dreyfus
devant le conseil de guerre de Paris. Reconnu
coupable, l'accusé est condamné à la déportation
dans une enceinte fortifiée.

1895

5 janvier. Le capitaine Dreyfus est dégradé publiquement dans la grande cour de l'École militaire,
à Paris.

21 février. Départ de Dreyfus pour la Guyane
où il doit être détenu à l'île du Diable.

13 avril. Alfred Dreyfus est transféré à l'île du
Diable.

1ᵉʳ juillet. Le commandant Picquart (qui sera
bientôt promu lieutenant-colonel) est nommé à
la tête du service des renseignements de l'armée.
Il succède au colonel Sandherr.

1896

Début mars. À la suite d'une enquête, Picquart découvre le nom du véritable coupable : le commandant Esterhazy.

Août-septembre. Picquart communique ce qu'il a découvert à ses supérieurs hiérarchiques, le général de Boisdeffre et le général Gonse ; mais il n'est pas écouté.

Fin octobre. Le commandant Henry réalise un faux destiné à accabler Dreyfus.

Début novembre. Bernard Lazare fait paraître sa première brochure sur l'Affaire (*Une erreur judiciaire. La vérité sur l'affaire Dreyfus*).

16 novembre. Écarté de ses fonctions, Picquart est envoyé en mission.

1897

Juin-juillet. Picquart se confie à son ami, l'avocat Louis Leblois. Scheurer-Kestner, le vice-président du Sénat, décide de mener campagne pour la réhabilitation de Dreyfus.

13 novembre. Zola est convaincu par Scheurer-Kestner de l'innocence de Dreyfus.

15 novembre. Deuxième brochure de Bernard Lazare (*Une erreur judiciaire. L'affaire Dreyfus*).

25 novembre. Dans *Le Figaro*, publication du premier article de Zola en faveur d'Alfred Dreyfus (« Monsieur Scheurer-Kestner »).

1er-5 décembre. Poursuite de la campagne de Zola dans *Le Figaro* : « Le Syndicat », « Procès-verbal ».

14 décembre. Zola publie, chez son éditeur Fasquelle, la *Lettre à la jeunesse*.

1898

7 janvier. Zola publie la *Lettre à la France*.

10-11 janvier. Procès d'Esterhazy, acquitté par le conseil de guerre qui le juge.

13 janvier. Publication par Zola de son « J'accuse », dans *L'Aurore*.

7-23 février. Procès de Zola et de la rédaction de *L'Aurore* devant la cour d'assises de la Seine. Le romancier est condamné à un an d'emprisonnement.

2 avril. Annulation par la Cour de cassation de la condamnation de Zola (pour vice de forme).

23 mai. Nouveau procès de Zola, devant la cour d'assises de Versailles. Son avocat se pourvoit en cassation.

18 juillet. Reprise du procès de Zola devant la cour d'assises de Versailles. Définitivement condamné, le romancier choisit de s'exiler en Angleterre.

10 août. Jean Jaurès commence la publication des *Preuves* dans *La Petite République*.

30-31 août. Le lieutenant-colonel Henry avoue à Cavaignac, le ministre de la Guerre, être l'auteur du faux montrant la culpabilité de Dreyfus. Arrêté, il se suicide dans sa cellule du Mont-Valérien.

27-29 octobre. La chambre criminelle de la Cour de cassation déclare recevable la demande en révision du procès d'Alfred Dreyfus.

1899

16 février. Mort du président Félix Faure.

18 février. Élection d'Émile Loubet à la présidence de la République.

3 juin. La Cour de cassation annule le jugement rendu en 1894 : Dreyfus est renvoyé devant un nouveau conseil de guerre.

5 juin. Retour d'Émile Zola en France.

9 juin. Alfred Dreyfus quitte l'île du Diable pour la France.

22 juin. Formation du ministère Waldeck-Rousseau, dit « de défense républicaine ».

7 août-9 septembre. Procès d'Alfred Dreyfus devant le conseil de guerre de Rennes. L'accusé est à nouveau déclaré coupable, mais on lui reconnaît des « circonstances atténuantes ».

19 septembre. Alfred Dreyfus est gracié par le président de la République.

1900

18-24 décembre. La Chambre des députés et le Sénat votent une loi d'amnistie sur tous les faits relatifs à l'Affaire.

1902

29 septembre. Mort d'Émile Zola dans son domicile parisien de la rue de Bruxelles.

1903

6-7 avril. À la Chambre des députés, Jaurès demande la révision du verdict rendu par le conseil de guerre de Rennes.

1904

3 mars. Début des débats de la Cour de cassation en vue de la seconde révision du procès d'Alfred Dreyfus.

1906

12 juillet. La Cour de cassation annule le jugement du conseil de guerre de Rennes, affirmant que la condamnation portée contre Alfred Dreyfus a été prononcée « par erreur et à tort ». Aucun renvoi n'est fait devant une juridiction ultérieure.

13 juillet. La Chambre des députés réintègre dans l'armée Dreyfus et Picquart (le premier avec le grade de chef d'escadron, et le second avec celui de général de brigade). Le même jour, elle vote en faveur du transfert des cendres de Zola au Panthéon.

20 juillet. Au cours d'une cérémonie solennelle à l'École militaire, Alfred Dreyfus est fait chevalier de la Légion d'honneur.

25 octobre. Clemenceau, devenu président du Conseil, appelle le général Picquart au ministère de la Guerre.

1908

19 mars. La Chambre des députés vote en faveur des crédits nécessaires à la cérémonie de la panthéonisation d'Émile Zola.

4 juin. Cérémonie de la panthéonisation, en présence du président de la République, Armand Fallières. Attentat de Louis Grégori contre Alfred Dreyfus.

10-11 septembre. Procès de Grégori devant la cour d'assises de la Seine. L'accusé est acquitté par le jury.

Bibliographie

Nous indiquons ici les références des ouvrages ou des articles qui ont nourri les développements des différents chapitres. Nous terminons en donnant une liste des adaptations proposées par le cinéma. On complétera ces indications en ayant recours à la bibliographie établie par Michel Drouin dans son *Dictionnaire de l'affaire Dreyfus* (Flammarion, 2006) et à celle qu'a livrée Philippe Oriol dans son *Histoire de l'affaire Dreyfus de 1894 à nos jours* (Les Belles Lettres, 2014).

Sources imprimées

L'Affaire Dreyfus. Le Procès Zola devant la Cour d'Assises de la Seine et la Cour de Cassation (7 février-23 février – 31 mars-2 avril 1898). Compte rendu sténographique « in extenso » et Documents annexes, Paris, Aux bureaux du *Siècle*, P.-V. Stock, 1898, 2 tomes.
Livre d'hommage des Lettres françaises à Émile Zola, Paris, Société libre d'édition des Gens de lettres/ Bruxelles, G. Balat, 1898.

La Révision du procès Dreyfus. Enquête de la Cour de cassation, Paris, P.-V. Stock, 1899, 2 tomes.

La Révision du procès Dreyfus. Débats de la Cour de cassation, Paris, P.-V. Stock, 1899.

Conseil de guerre de Rennes. Le procès Dreyfus devant le Conseil de guerre de Rennes (7 août-9 septembre 1899). Compte rendu sténographique « in extenso », Paris, P.-V. Stock, 1900, 3 tomes.

L'Affaire Dreyfus. La Révision du procès de Rennes (15 juin 1906-12 juillet 1906). Mémoire de Me Henry Mornard pour M. Alfred Dreyfus, Paris, Ligue française pour la Défense des Droits de l'Homme et du Citoyen, 1907.

L'Affaire Dreyfus. La Révision du procès de Rennes (15 juin 1906-12 juillet 1906). Réquisitoire écrit de M. le Procureur Général Baudoin, Paris, Ligue française pour la Défense des Droits de l'Homme et du Citoyen, 1907.

Études sur l'histoire de l'affaire Dreyfus

AYNIÉ Marie, *Les Amis inconnus. Se mobiliser pour Dreyfus (1897-1899)*, Toulouse, Privat, 2011.

BREDIN Jean-Denis, *L'Affaire*, Paris, Fayard/Julliard, 1993 [1re éd., 1983].

DESACHY Paul, *Répertoire de l'affaire Dreyfus. 1894-1899*, s.l., s.d. [1905].

DROUIN Michel (éd.), *L'Affaire Dreyfus. Dictionnaire*, Paris, Flammarion, 2006 [1re éd., 1994].

DROUIN Michel, *Zola au Panthéon. La Quatrième Affaire Dreyfus*, Paris, Perrin, 2008.

DUCLERT Vincent, *Alfred Dreyfus. L'honneur d'un patriote*, Paris, Fayard, 2006.

—, *Dreyfus au Panthéon. Voyage au cœur de la République*, Paris, Galaade Éditions, 2007.

GERVAIS Pierre, PERETZ Pauline et STUTIN Pierre, *Le Dossier secret de l'affaire Dreyfus*, Paris, Alma éditeur, 2012.

GERVEREAU Laurent et PROCHASSON Christophe (éd.), *L'Affaire Dreyfus et le tournant du siècle (1894-1910)*, Paris, Musée d'histoire contemporaine – BDIC, 1994.

JOLY Bertrand, *Dictionnaire biographique et géographique du nationalisme français (1880-1900)*, Paris, Honoré Champion, « Dictionnaires & Références », 1998.

—, *Histoire politique de l'affaire Dreyfus*, Paris, Fayard, 2014.

MARPEAU Benoit, *L'Affaire Dreyfus*, Paris, Ellipses, « Biographies et mythes historiques », 2017.

ORIOL Philippe, *Bernard Lazare*, Paris, Stock, « Biographies », 2003.

—, *L'Histoire de l'affaire Dreyfus de 1894 à nos jours*, Paris, Les Belles Lettres, 2014, 2 tomes.

PAGÈS Alain, *Émile Zola. De « J'accuse » au Panthéon*, Saint-Paul, Éditions Lucien Souny, 2008.

—, *Une journée dans l'affaire Dreyfus. « J'accuse… ». 13 janvier 1898*, Paris, Perrin, « Tempus », 2011.

—, « Mort de Zola. Un rideau de fumée », *Les Énigmes de l'histoire de France*, sous la dir. de Jean-Christian Petitfils, Paris, Perrin/Le Figaro Histoire, 2018, p. 301-319.

PAGÈS Alain (éd.), *Zola au Panthéon. L'épilogue de l'affaire Dreyfus*, Paris, Presses Sorbonne Nouvelle, 2010.

PHILIPPE Béatrice (éd.), *Une tragédie de la Belle Époque. L'affaire Dreyfus*, Paris, Comité du centenaire de l'affaire Dreyfus, 1994.

REINACH Joseph, *Histoire de l'affaire Dreyfus*, éd. Hervé Duchêne, Paris, Robert Laffont, « Bouquins », 2006 [1re éd., 1901-1911].

THOMAS Marcel, *L'Affaire sans Dreyfus*, Paris, Fayard, 1961.

—, *Esterhazy ou l'Envers de l'affaire Dreyfus*, Paris, Vernal/Philippe Lebaud, 1989.

VIGOUROUX Christian, *Georges Picquart dreyfusard, proscrit, ministre. La justice par l'exactitude*, Paris, Dalloz, 2009.

WEISSMAN Élisabeth, *Lucie Dreyfus. La femme du capitaine*, Paris, Textuel, 2015.

Études sur les milieux intellectuels et sur la question de l'antisémitisme

AL-MATARY Sarah, *La Haine des clercs. L'anti-intellectualisme en France*, Paris, Éditions du Seuil, 2019.

BARILIER Étienne, « *Ils liront dans mon âme* ». *Les écrivains face à Dreyfus*, Carouge-Genève, Éditions Zoé, 2008.

BIRNBAUM Pierre, *Le Moment antisémite. Un tour de la France en 1898*, Paris, Fayard, « Pluriel », 2015 [1re éd., 1998].

BRODZIAK Sylvie et TOMEI Samuel (éd.), *Dictionnaire Clemenceau*, Paris, Robert Laffont, « Bouquins », 2017.

CHARLE Christophe, *Naissance des « intellectuels » (1880-1900)*, Paris, Éditions de Minuit, 1990.

DANIEL Jean, *La Prison juive. Humeurs et méditations d'un témoin*, Paris, Odile Jacob, 2003.

EPSTEIN Simon, *Les Dreyfusards sous l'Occupation*, Paris, Albin Michel, « Bibliothèque Albin Michel », 2001.

GUIEU Jean-Max (éd.), *Intolérance & Indignation. L'affaire Dreyfus*, Paris, Éditions Fischbacher, 2000.

KAUFFMANN Grégoire, *Édouard Drumont*, Paris, Perrin, 2008.

KOREN Roselyne et MICHMAN Dan (éd.), *Les intellectuels face à l'affaire Dreyfus alors et aujourd'hui : perception et impact de l'Affaire en France et à l'étranger*, Paris, L'Harmattan, 1998.

MANCERON Gilles et NAQUET Emmanuel (éd.), *Être dreyfusard hier et aujourd'hui*, Rennes, Presses universitaires de Rennes, 2009.

MOLLIER Jean Yves, *Le Camelot et la Rue. Politique et démocratie au tournant des XIXe et XXe siècles*, Paris, Fayard, 2004.

PONTY Janine, « La presse quotidienne et l'affaire Dreyfus en 1898-1899. Essai de typologie », *Revue d'histoire moderne et contemporaine*, avril-juin 1974, p. 193-220.

—, « *Le Petit Journal* et l'affaire Dreyfus (1897-1899) : analyse de contenu », *Revue d'histoire moderne et contemporaine*, octobre-décembre 1977, p. 641-656.

SULEIMAN Susan Rubin, « Passion/Fiction : l'affaire Dreyfus et le roman », *Littérature* n° 71, 1988, p. 90-107.

—, « L'Affaire Dreyfus dans l'imaginaire populaire des années 1930 », *Les Cahiers naturalistes*, n° 76, 2002, p. 157-176.

WINOCK Pierre, *Le Siècle des intellectuels*, Paris, Éditions du Seuil, 1997.

—, *La France et les Juifs. De 1789 à nos jours*, Paris, Éditions du Seuil, 2004.

Histoires parallèles (sur les « mystères » de l'affaire Dreyfus[1])

CHARPENTIER Armand, *Les Côtés mystérieux de l'affaire Dreyfus*, Paris, Les Éditions Rieder, 1937.

CHÉRASSE Jean A. et BOUSSEL Patrice, *Dreyfus ou l'Intolérable Vérité*, Paris, Éditions Pygmalion, 1975.

DENIAU Jean-François, *Le Bureau des secrets perdus*, Paris, Odile Jacob, 2000.

DOISE Jean, *Un secret bien gardé. Histoire militaire de l'affaire Dreyfus*, Paris, Éditions du Seuil, 1994.

FRANDON Ida-Marie, *L'Affaire et le grand secret. Le secret a créé l'Affaire. Qui l'a su ? Qui l'a dit ?*, Fontainebleau, I.-M. Frandon, 1993.

GUILLEMIN Henri, *L'Énigme Esterhazy*, Paris, Gallimard, 1962.

ISRAËL Armand, *Les Vérités cachées de l'affaire Dreyfus*, Paris, Albin Michel, 2000.

LOMBARÈS Michel de, *L'Affaire Dreyfus. La clé du mystère*, Paris, Robert Laffont, « Les ombres de l'histoire », 1972.

MAZEL Henri, *Histoire et psychologie de l'affaire Dreyfus*, Paris, Boivin et Cie, 1934.

Analyses et témoignages de contemporains

BARRÈS Maurice, *Scènes et doctrines du nationalisme*, Paris, Félix Juven, 1902.

BENDA Julien, *La Jeunesse d'un clerc*, suivi de *Un régulier dans le siècle* et de *Exercice d'un enterré vif*, Paris, Gallimard, 1968 [1re éd., *La Jeunesse d'un clerc*, 1936].

---

1. Voir le chapitre 23.

BERNANOS Georges, *La Grande Peur des bien-pensants. Édouard Drumont*, Paris, Bernard Grasset, 1931.

BLUM Léon, *Souvenirs sur l'Affaire*, Paris, Gallimard, « Folio Histoire », 1993 [1ʳᵉ éd., 1935].

CLEMENCEAU GEORGES, *L'Affaire Dreyfus. L'Iniquité*, éd. Michel Drouin, Paris, Mémoire du Livre, 2001 (1ʳᵉ édition, 1899).

DREYFUS Alfred, *Cinq années de ma vie*, introduction de Pierre Vidal-Naquet, Paris, François Maspéro, « PCM/Histoires », 1982 [1ʳᵉ éd., 1901].

—, *Carnets (1899-1907)*, éd. Philippe Oriol, Paris, Calmann-Lévy, 1998.

—, *Cahiers de l'île du Diable*, Paris, Éditions Artulis Pierrette Turlais, 2009.

DRUMONT Édouard, *La France juive. Essai d'histoire contemporaine*, Paris, C. Marpon et É. Flammarion, 1886, 2 tomes.

FAURE Félix, *Journal à l'Élysée (1895-1899)*, éd. Bertrand Joly, Paris, Éditions des Équateurs, 2009.

HALÉVY Daniel, *Regards sur l'affaire Dreyfus*, éd. Jean-Pierre Halévy, Paris, Éditions de Fallois, 1994.

JAURÈS Jean, *Les Preuves. Affaire Dreyfus*, éd. Madeleine Rebérioux et Vincent Duclert, Paris, La Découverte, 1998.

LABORI Marguerite-Fernand, *Labori. Ses notes manuscrites. Sa vie*, Paris, Éditions V. Attinger, 1947.

LAZARE Bernard, *L'Antisémitisme. Son histoire et ses causes*, Paris, Léon Chailley, 1894.

—, *Une erreur judiciaire. La Vérité sur l'affaire Dreyfus*, Paris, P.-V. Stock, 1896.

—, *Une erreur judiciaire. L'affaire Dreyfus (Deuxième mémoire avec des expertises d'écritures)*, Paris, P.-V. Stock, 1897.

—, *Comment on condamne un innocent : l'acte d'accusation contre le capitaine Dreyfus*, Paris, P.-V. Stock, 1898.

PALÉOLOGUE Maurice, *Journal de l'affaire Dreyfus. 1894-1899. L'affaire Dreyfus et le Quai d'Orsay*, Paris, Plon, 1955.

PÉGUY Charles, *Notre jeunesse*, précédé par *De la raison*, éd. Jean Bastaire, Paris, Gallimard, « Folio Essais », 1993 [1re éd., 1910].

PRESSENSÉ Francis de, *Un héros. Le lieutenant-colonel Picquart*, Paris, P.-V. Stock, 1898.

QUILLARD Pierre, *Le Monument Henry. Listes des souscripteurs classés méthodiquement et selon l'ordre alphabétique*, Paris, P.-V. Stock, 1899.

SOREL Georges, *La Révolution dreyfusienne*, Paris, Marcel Rivière, 1909.

VAUGHAN Ernest, *Souvenirs sans regret*, Paris, Félix Juven, 1902.

ZOLA Émile, *La Vérité en marche* [1901], *Œuvres complètes*, sous la dir. d'Henri Mitterand. *Tome 18 : De l'Affaire aux Quatre Évangiles (1897-1900)*, éd. Alain Pagès, Paris, Nouveau Monde Éditions, 2008.

Correspondances

CLEMENCEAU Georges, *Correspondance (1858-1929)*, éd. Sylvie Brodziak et Jean-Noël Jeanneney, Paris, Robert Laffont, « Bouquins », 2008.

DREYFUS Alfred et Lucie, « *Écris-moi souvent, écris-moi longuement...* » *Correspondance de l'île du Diable*, éd. Vincent Duclert, Paris, Mille et Une Nuits, 2001.

MIRBEAU Octave, *Correspondance générale. Tome troisième*, éd. Pierre Michel, Lausanne, L'Âge d'Homme, 2009.

ZOLA Émile, *Correspondance*, sous la dir. de Bard H. Bakker et Henri Mitterand. *Tome IX : Octobre 1897-septembre 1899 (L'Affaire Dreyfus)*, éd. Owen Morgan et Alain Pagès, Montréal, Les Presses de l'université de Montréal/Paris, CNRS Éditions, 1993.

—, *L'Affaire Dreyfus. Lettres et entretiens inédits*, éd. Alain Pagès, Paris, CNRS Éditions, 1994.

—, *Lettres à Alexandrine (1876-1901)*, éd. Brigitte Émile-Zola et Alain Pagès, Paris, Gallimard, 2014.

Transpositions littéraires

ARZAC Jules d', *Le Calvaire d'un innocent*, Bruxelles, Librairie moderne, s. d. [1931-1933].

FALK Victor von, *Alfred Dreyfus ou le Martyr de l'île du Diable. Grand roman contemporain*, Bruxelles (30, rue St Pierre), s. d. [1902-1905].

—, *Zola et Picquart. Les Champions de la vérité et de la justice et le Secret de la dame voilée ou la Fin des sinistres épreuves du capitaine Dreyfus. Roman sensationnel*, Bruxelles (30, rue St Pierre), s. d. [1905-1906].

FRANCE Anatole, *L'Anneau d'améthyste* [1899], *M. Bergeret à Paris* [1901], *Œuvres III*, éd. Marie-Claire Bancquart, Paris, Gallimard, « Bibliothèque de la Pléiade », 1991.

—, *L'Île des pingouins* [1908], *Œuvres IV*, éd. Marie-Claire Bancquart, Paris, Gallimard, « Bibliothèque de la Pléiade », 1994.

MARTIN DU GARD Roger, *Jean Barois* [1913], éd. André Daspre, Paris, Gallimard, « Folio », 2003.

PROUST Marcel, *À la recherche du temps perdu* [1913-1927], sous la dir. de Jean-Yves Tadié, Paris,

Gallimard, « Bibliothèque de la Pléiade », 1987-1989, 4 tomes.

—, *Jean Santeuil* [1952], précédé de *Les Plaisirs et les Jours*, éd. Pierre Clarac, Paris, Gallimard, « Bibliothèque de la Pléiade », 1971.

VAN CAUWELAERT Didier, « La greffe », *Le Journal intime d'un arbre*, Paris, Éditions Michel Lafon, 2011.

ZOLA Émile, *Vérité* [1902], *Œuvres complètes*, sous la dir. d'Henri Mitterand. *Tome 20 : Vérité et Justice. Les Quatre Évangiles (1902-1903)*, éd. Béatrice Laville, Paris, Nouveau Monde Éditions, 2009.

Filmographie de l'affaire Dreyfus

1899. *L'Affaire Dreyfus*. Réalisation : Georges Méliès. France. Actualités reconstituées (11 mn).

1899. *L'Affaire Dreyfus*. Réalisation : Société Pathé. France. Actualités reconstituées. Interprétation : Liezer (A. Dreyfus).

1902. *L'Affaire Dreyfus*. Réalisation : Ferdinand Zecca. France. Scénario de Z. Rollini. Actualités reconstituées.

1908. *L'Affaire Dreyfus*. Réalisation : Lucien Nonguet. France. Scénario de Z. Rollini. Actualités reconstituées (11 mn).

1930. *Dreyfus*. Réalisation : Richard Oswald. Allemagne. Film de fiction (90 mn). D'après l'ouvrage de Bruno Weil, *Der Prozess des Hauptmanns Dreyfus* (1931). Interprétation : Fritz Korner (Dreyfus), Heinrich George (Zola), Albert Bassermann (Picquart), Oskar Homolka (Esterhazy), Paul Bildt (Clemenceau), Kaiser (Labori), Goetzke (Demange), Grete Mosheim (Lucie Dreyfus).

1931. *Dreyfus*. Réalisation : F. W. Kraemer et Milton Rosmer. Grande-Bretagne. Film de fiction (90 mn).

D'après la pièce de théâtre de H. Rehfisch et W. Herzog, *L'Affaire Dreyfus* (version française par Jacques Richepin). Interprétation : Cedric Hardwicke (Dreyfus), George Merrit (Zola).

1937. *The Life of Émile Zola*. Réalisation : William Dieterle. États-Unis. Film de fiction (130 mn). Musique de Max Steiner. D'après la biographie de Zola par Matthew Josephson, *Zola and his Time* (1928). Interprétation : Paul Muni (Zola), Joseph Schildkraut (Alfred Dreyfus), Gloria Holden (Alexandrine Zola), Gale Sondergaard (Lucie Dreyfus), Donald Crisp (Labori), Henry O'Neill (Picquart), Robert Barrat (Esterhazy), Vladimir Sokoloff (Cézanne), John Litel (Charpentier), Maurice Carnowski (Anatole France), Erin O'Brien-Moore (Nana), Grant Mitchell (Clemenceau), Louis Calhern (major Dort [Du Paty]), Robert Warwick (Henry), Montagu Love (Cavaignac), Frank Sheridan (Van Cassell).

1958. *I Accuse*. Réalisation : José Ferrer. États-Unis. Film de fiction (90 mn). Scénario de Gore Vidal, d'après l'ouvrage de Nicholas Halasz, *Captain Dreyfus. A Study in Mass Hysteria*. Interprétation : José Ferrer (Dreyfus), Emlyn Williams (Zola), Leo Genn (Picquart), Anton Walbrook (Esterhazy).

1978. *Zola ou la Conscience humaine*. Réalisation : Stellio Lorenzi. France. Dramatique de télévision en quatre épisodes. Scénario d'Armand Lanoux, auteur de la biographie *Bonjour monsieur Zola*. Interprétation : Jean Topart (Zola), Maryvonne Schiltz (Jeanne Rozerot), Dominique Davray (Alexandrine), François Chaumette (Labori), André Valmy (Georges Clemenceau), Roland Ménard (Alphonse Daudet), Claude Bauthéac (Drumont), Georges Werler (Barrès), Jean-Pierre Lituac (Billot), Simone Rieutor

(Séverine), François Maistre (Anatole France), Jean Deschamps (Gonse), Yves Brainville (Boisdeffre).

1991. *Prisoner of Honor*. Réalisation : Ken Russell. États-Unis. Film de fiction produit par la chaîne de télé-vision HBO (105 mn). D'après l'ouvrage de David Levering Lewis, *Prisoners of Honor. The Dreyfus Affair*. Interprétation : Richard Dreyfuss (Picquart), Oliver Reed (Boisdeffre), Peter Firth (Henry), Jeremy Kemp (Pellieux), Brian Blessed (Gonse), Peter Vaughan (Mercier), Kenneth Colley (Dreyfus), Martin Friend (Zola).

1991. *Can a Jew be Innocent ?* Réalisation : Jack Emery. Grande-Bretagne. Dramatique de télévision. Interprétation : Derek Jacobi (Zola).

1995. *L'Affaire Dreyfus*. Réalisation : Yves Boisset. France. Dramatique de télévision en deux épisodes. Coproduction France 2 et Arte. Scénario d'Yves Boisset et Jorge Semprun, d'après l'ouvrage de Jean-Denis Bredin (*L'Affaire*, 1983). Interprétation : Thierry Frémont (Alfred Dreyfus), Philippe Volter (Mathieu Dreyfus), Laura Morante (Lucie Dreyfus), Christian Brendel (Picquart), Bernard-Pierre Donnadieu (Henry), Pierre Arditi (Esterhazy), Helmut Berger (Schwartzkoppen), Georges Wilson (général de Boisdeffre), Gérard Desarthe (Du Paty), Jean-Claude Drouot (Zola), Daniel Mesguich (Léon Blum), Louis Arbessier (Scheurer-Kestner), François Marthouret (Labori).

Remerciements

Je tiens à remercier Jean d'Hendecourt, Laurent Theis et Benoît Yvert, qui ont soutenu ce projet dès son origine.

J'adresse toute ma reconnaissance à Emmanuel Hecht, qui a suivi la rédaction de cet ouvrage avec la plus grande attention.

Pour leurs remarques ou leurs suggestions, pour les éclairages qu'ils m'ont apportés, je remercie également Janine Champeaux, Charles Dreyfus, Yana Grinshpun, Roselyne Koren, Olivier Lumbroso, Jean-Sébastien Macke, Nathalie Mauriac, François-Marie Mourad, Yuji Murakami, Philippe Oriol, Jean-Michel Pottier, Anne Régent-Susini, Marc Thierry, Clive Thomson, Pyra Wise.

À Joëlle, enfin, à qui ce livre est dédié, j'exprime toute ma gratitude.

Table

DU MÊME AUTEUR (Suite)

DIRECTIONS D'OUVRAGES COLLECTIFS

Les Lieux du réalisme. Pour Philippe Hamon, Paris, Presses Sorbonne Nouvelle/Éditions L'Improviste, 2005, 482 p. [en collaboration avec Vincent Jouve].
Dire la parodie. Colloque de Cerisy, New York/Berne, P. Lang, « American University Studies », 1989, 397 p. [en collaboration avec Clive Thomson].

ÉDITIONS

Émile ZOLA, *Lettres à Alexandrine (1876-1901)*, Paris, Gallimard, 2014, 832 p. [en collaboration avec Brigitte Émile-Zola, Céline Grenaud-Tostain, Sophie Guermès, Jean-Sébastien Macke et Jean-Michel Pottier – prix Sévigné, 2015].
Émile ZOLA, *Lettres à Jeanne Rozerot (1892-1902)*, Paris, Gallimard, 2004, 400 p. [en collaboration avec Brigitte Émile-Zola].

Achevé d'imprimer en juillet 2021
par la Société TIRAGE - 91941 COURTABŒUF

Dépôt légal : septembre 2019
K07494E/07

Imprimé en France